le peintre, le roi, le héros

l'Andromède de Pierre Mignard

37 *les dossiers*
du Département
des peintures

le peintre, le roi, le héros

l'Andromède de Pierre Mignard

Jean-Claude Boyer

chargé de recherches

au CNRS

Ministère de la Culture,
de la Communication,
des Grands Travaux
et du Bicentenaire

Éditions
de la Réunion
des musées nationaux

remerciements
aux prêteurs

Que tous les responsables
des collections qui ont permis
par leur généreux concours
la réalisation de cette exposition
trouvent ici l'expression
de notre gratitude

Allemagne
Karlsruhe Staatliche Kunsthalle

Suède
Stockholm Nationalmuseum

France
Bayonne Musée Bonnat
Beauvais Musée départemental de l'Oise
Béziers Musée des Beaux-arts de l'Hôtel Fabregat
Carcassonne Musée des Beaux-arts
Montpellier Musée Atger
Rennes Musée des Beaux-arts
Troyes Musée des Beaux-arts
Versailles Musée du Château de Versailles

Paris
Archives nationales
Bibliothèque historique de la Ville de Paris
Bibliothèque de l'Institut
Bibliothèque Mazarine
Bibliothèque nationale
- Cabinet des estampes
- Département des imprimés
- Département des manuscrits
- Cabinet des monnaies et médailles

Bibliothèque Sainte-Geneviève
Bibliothèque de la Sorbonne
Institut néerlandais
Mobilier national

ainsi que les prêteurs qui ont
souhaité garder l'anonymat.

**Cette exposition
est présentée
au Musée du Louvre,
Pavillon de Flore,
du 17 janvier
au 23 avril 1990.
La coordination
et la réalisation
ont été assurées par
le Service des travaux
muséographiques
du Musée du Louvre**

**Commissaire
de l'exposition
Jean-Claude Boyer
avec la collaboration
de Jean Habert
conservateur
au Département
des peintures**

ISSN 0768-4150
ISBN 2-7118-2306-7

Paris 1989
10 rue de l'Abbaye
75006 Paris

en couverture
Pierre Mignard
Persée et Andromède
Musée du Louvre
cliché RMN

Le département des Peintures, toujours, a pu compter sur la Société des Amis du Louvre. Grâce à elle, il a pu régulièrement enrichir ses collections – la récente exposition des Donateurs du Louvre, *tenue sous la Pyramide, l'a brillamment rappelé – de chefs-d'œuvre de toutes les écoles et de tous les siècles.*

Le Persée et Andromède *compte, à coup sûr, parmi ces œuvres illustres aussi bien de par la personnalité de son commanditaire, le Grand Condé, que de par celle de son auteur, Pierre Mignard (1612-1695), le rival encore parfois injustement décrié de Le Brun (1619-1690). Des controverses auxquelles l'œuvre donna lieu, de sa place et de son importance dans la peinture française de la seconde moitié du XVIIe siècle, Jean-Claude Boyer, Chargé de Recherche au Centre National de la Recherche Scientifique, Chargé de cours à l'Université Paris IV, rend compte avec autant d'érudition que d'autorité. Qu'il en soit chaleureusement remercié ainsi que Jean Habert, Conservateur au département des Peintures, qui l'a aidé à mener à bien le catalogue de l'exposition et l'a assisté dans la réalisation de ce dossier dans des temps records.*

Et que les Amis du Louvre, tous, du plus anonyme au plus glorieux, soient chaleureusement remerciés.

Pierre Rosenberg
Conservateur en chef
du Département
des peintures

Nous voudrions remercier M. Michel Laclotte, Directeur du musée du Louvre et M. Pierre Rosenberg, Conservateur en chef du Département des peintures, de nous avoir fait l'insigne honneur de présenter au public le tableau que la Société des amis du Louvre vient, tout récemment, d'offrir à leur musée.
Nous avons à l'égard de M. Michel Laclotte et de M. Pierre Rosenberg une autre dette de reconnaissance : celle qui leur est due pour l'aide et les conseils qu'ils ne nous ont pas ménagés. Qu'ils reçoivent ici l'expression de notre gratitude. Nous adressons aussi nos remerciements à Mmes et MM. Daniel Alcouffe, Roseline Bacou, Claire Béchu, Pierre Berès, Josiane Bourély, Geneviève Bresc, Michèle Broder, Béatrice de Chancel, Nicole Chanchorle, Eve-Marie Chanut, Jean-Loup Charmet, Christophe Clément, Claire Constans, Joël Courtemanche et son équipe, Chantal Coural, Jane Cunningham, Anne Dion, Pierre Ennès, Raoul Ergmann, Marc Fumaroli, Jean-René Gaborit, Catherine Goguel et le GR 712 du CNRS, Monique Haillant, François d'Hautpoul, Christophe Ibach, Françoise Jestaz, Irène Jornet, Clarisse Kröll, Anne Ladevie, Jérôme de La Gorce, Georges de Lastic (†), Sylvain Laveissière, Annick Lautraite, Jean-Marc Léri, Alastair Laing, Denis Lavalle, Catherine Legrand, Catherine Limosin, Amaury Lefébure, Françoise Mardrus, Jean-François Méjanès, Jean Meyer, Hervé Oursel, Maxime Préaud, Patrick Ramade, Marie-Catherine Sahut, Marie-José Salmon, Jacqueline Sanson, Antoine Schnapper, Monique Sevin, Jacques Thuillier, Sylvie de Turckeim, Béatrice Tambafendouno, Jean-Claude Vaisse, Jacques Vanuxem (†), Stéphanie de Vaumécourt, Dominique Vila, Franck Villaz, Monique Vincent, Patrick-Vitet-Philippe, Patrick Violette, Nathalie Volle, Joan Wilson, Françoise Zehnacker.
La collaboration de Mlle Leslie Jones nous a été très précieuse.
Rien enfin, n'aurait été possible sans l'enthousiasme et la science de Jean Habert.

Jean-Claude Boyer

cat 1 Pierre Mignard
Le roi Céphée
et la reine Cassiopée
remercient Persée
d'avoir délivré
leur fille Andromède

cat 2 Martin Van den Bogaert
dit Desjardins
Pierre Mignard

cat 3 Antoine Coysevox
Le Grand Condé

cat 6 d'après Pierre Mignard
L'Hiver ou
Cybèle implorant le retour du soleil

cat 31 Pierre Mignard
Autoportrait

cat 35 Pierre Mignard
Le Portement de croix

le peintre *et son tableau*

Le Persée et Andromède *de Pierre Mignard n'est pas un tableau phare. C'est en vain que l'on chercherait à convoquer autour de lui de grands textes littéraires, capables de lui donner une aura poétique, de nourrir la réflexion à son sujet et de le faire participer de leur propre éclat.*

Le Persée et Andromède *n'est pas non plus un tableau célèbre. A peine quelques érudits, familiers des vieux textes en ont-ils entendu parler. Encore n'ont-ils jamais vu la peinture, avant sa redécouverte récente. Ni pu, en conséquence, apprécier réellement son importance et sa beauté.*

De ce point de vue, on ne saurait imaginer rupture plus complète avec la lignée des œuvres qui, du Bain turc *d'Ingres à l'*Inspiration du poète *de Poussin, ont nourri les précédents dossiers. Au fil de sa préparation, la présente exposition nous a paru prendre progressivement la forme d'un hommage à la liberté d'un peintre. Nous voudrions qu'elle soit aussi un hommage à la liberté d'esprit, à la haute capacité de décision de tous ceux qui, à la Société des amis du Louvre comme dans l'équipe du musée, ont permis l'acquisition de l'œuvre et son entrée dans les collections nationales.*

Jean-Claude Boyer

Il finit alors l'Andromede : ce tableau que M. le Prince lui avoit demandé long-tems auparavant pour Chantilly, où il est actuellement, enleva tous les suffrages. Andromede est peinte avec tant de jeunesse & de beauté, qu'on ne peut voir sans être attendri les larmes qui coulent de ses yeux. Le Brun qui ne pouvoit disconvenir de l'excellence de ce morceau, dit à cette occasion : *Cela ne lui est pas difficile, cet homme est bien heureux de trouver sans sortir de sa maison, un modèle plus parfait que les statuës antiques.*

Monville
La Vie de Pierre Mignard
Paris 1730

cat 1 **Pierre Mignard**
1612-1695
Le roi Céphée et la reine Cassiopée remercient Persée d'avoir délivré leur fille Andromède
(dit aussi : *Andromède, Persée et Andromède, La Délivrance d'Andromède*).
huile sur toile
1,50×1,98 m
Musée du Louvre
Département des peintures
Inv RF 1989.8

historique

Achevé de peindre pour le Grand Condé en 1679, le tableau est placé à Chantilly, où l'on perd sa trace au XVIIIe siècle. Acquis par la Société des Amis du Louvre sur le marché de l'art, en 1989, il entre dans les collections du musée par délibération du Comité des Conservateurs du 20 avril 1989 (arrêté du 26 mai 1989).

L'œuvre a été rentoilée avant son acquisition. La radiographie montre que le tableau a quelque peu souffert : il avait été plié en quatre, puis roulé à l'envers, ce qui a déterminé des cassures de la couche picturale et des chutes de matière. Un repentir a été décelé : le visage de Persée était d'abord esquissé de face.

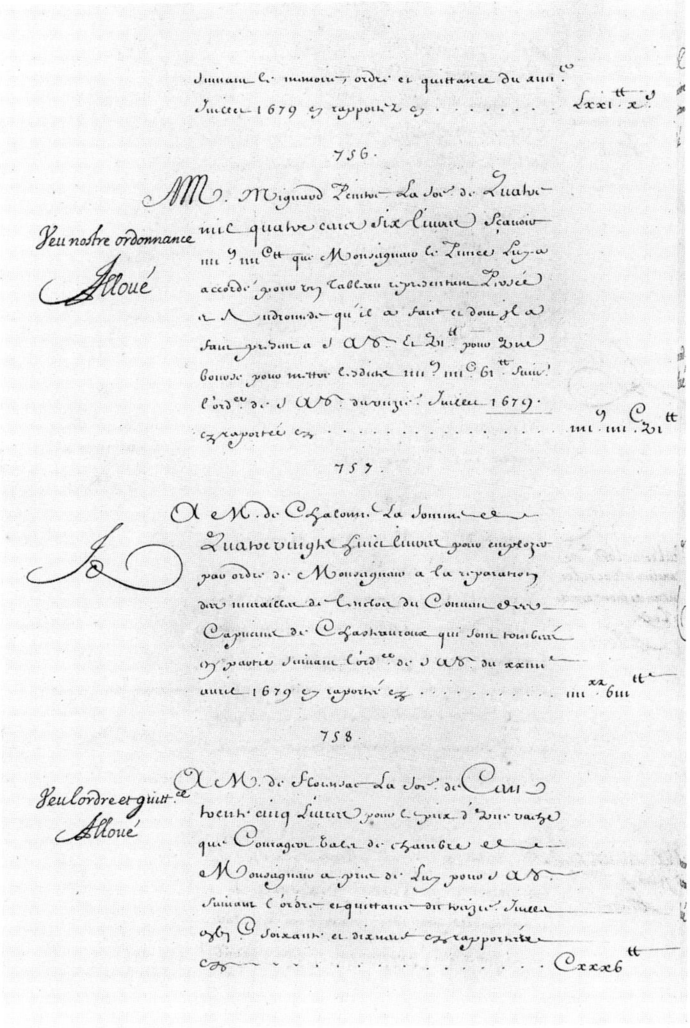

suivant le memoire, ordre et quittance du xiiii.e
Juillet 1679 cy rapporté cy .... Lxxi tt x s

756.

Veu nostre ordonnance

Alloué

A M. Mignard Peintre La som.e de Quatre
mil quatre cens six livres Scavoir
iiii m iiii C tt que Monseigneur le Prince luy a
accordé pour un tableau representant Persée
et Andromede qu'il a fait et dont il a
fait present a S.A.S. et vi tt pour une
bordure pour mettre led. tableau iiii m iiii C vi tt suiv.t
l'ord.ce de S.A.S. du vingt.e Juillet 1679.
cy raportée cy .... iiii m iiii C vi tt

757.

A M. de Chalon La somme de
Quatrevingt huit livres pour employer
par ordre de Monseigneur a la reparation
des murailles de l'enclos du Couvent des
Capucins de Chasteauroux qui sont tombées
en partie suivant l'ord.ce de S.A.S. du xxiii.e
avril 1679 cy raporté cy .... iiii xx viii tt

758.

Veu lordre et quitt.ce

Alloué

A M. de Flounac La som.e de Cent
trente cinq livres pour le prix d'une vache
que Couragier valet de chambre de
Monseigneur a pris de luy pour S.A.S.
suivant l'ordre et quittance du treize.e Juillet
1679 soixante et dixneuf cy rapportée
cy .... Cxxxv tt

fig 1 *Comptes du Grand Condé*
1679
paiement de l'*Andromède*
Chantilly

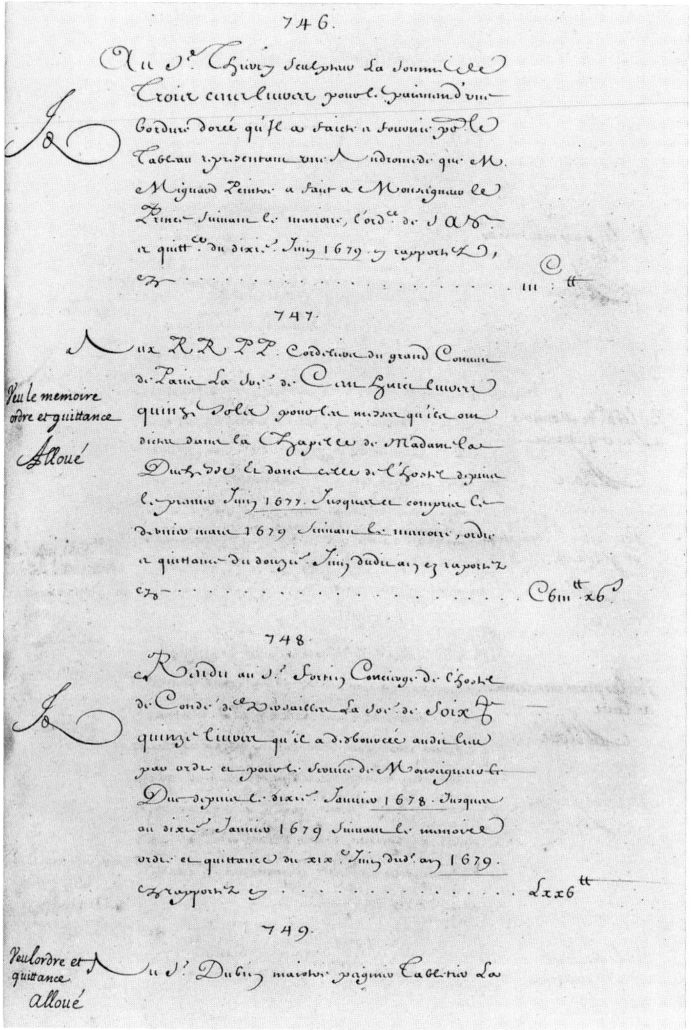

746.

Au Sr Thierry sculpteur La somme de
Trois cens livres pour le payement d'une
bordure dorée qu'il a faict et fournie po le
Tableau representant une Andromede que Mr
Mignard Peintre a fait a Monseigneur le
Prince suivant le memoire, l'ordce de SAS
et quittce du dixe Juin 1679 cy rapportez,
cy . . . . III c tt

747.

Veu le memoire ordre et quittance
Alloué

Aux RR PP. Cordeliers du grand Convent
de Paris La some de Cent huict livres
quinze sols pour les messes qu'ils ont
dictes dans la Chapelle de Madame la
Duchesse et dans celle de l'hostel depuis
le premier Juin 1677 jusques et compris le
dernier mars 1679 suivant le memoire, ordre
et quittance du douzee Juin dudit an cy rapportez
cy . . . . Cviii tt xv s

748.

Rendu au Sr Fortin Concierge de l'hostel
de Condé de Versailles La some de soixante
quinze livres qu'il a deboursée audit lieu
par ordre et pour le service de Monseigneur le
Duc depuis le dixe Janvier 1678 jusques
au dixe Janvier 1679 suivant le memoire
ordre et quittance du xixe Juin dudt an 1679
cy rapportez cy . . . . Lxxv tt

749.

Veu l'ordre et quittance
Alloué

Au Sr Dubin maistre paintre Tabletier La

fig 2 *Comptes du Grand Condé*
1679
quittance de Thierry
pour le cadre de l'*Andromède*
Chantilly

De tous les documents relatifs à des œuvres d'art qui nous sont parvenus au travers des destructions subies, à la Révolution, par les archives de la maison de Condé, le plus remarquable, peut-être, concerne une peinture de Pierre Mignard. A la date du 11 juillet 1679, en effet, les registres des comptes du Grand Condé ont gardé la trace d'un paiement d'une particulière importance :

"A M. Mignard Peintre la so.e de quatre mil quatre cens six livres, sçavoir IVM IVC + que Monseigneur le Prince luy a accordé pour un Tableau representant Persée et Andromede qu'il a faict et dont il a faict present à S.A.S. et VI + pour une bourse pour mettre lesdictes IVM IVC + suiv. l'ord.ce de S.A.S. du unzie.e Juillet 1679" [1] *(fig 1)*.

La peinture en question était, croyons-nous, celle qui entre aujourd'hui, après une longue disparition, dans les collections du Louvre (**cat 1** et **2**).

Son acquisition par Condé (**cat 3**) ne survenait pas à l'improviste. Elle était au contraire prévue et préparée puisque, le 20 mai de la même année, Gourville avait écrit au prince, dont il était l'homme de confiance, en lui envoyant l'ordonnance d'un paiement de 300 livres destiné au cadre du tableau[2]. Cette "bordure dorée" était l'œuvre du sculpteur Thierry qui donna quittance de la somme le 10 juin[3] *(fig 2)*. Ainsi, dès le printemps on connais-

cat 2 **Martin Van den Bogaert**
dit **Desjardins**
1640-1694
Pierre Mignard
marbre
H 0,63 m
Musée du Louvre
Département des sculptures
Inv MR 2483

historique
donné à l'Académie royale de peinture et de sculpture par la fille de Mignard, en 1726 ; entré au Louvre à la Révolution.

bibliographie
en dernier lieu
Huisman 1958 ;
Seelig 1972, p 165
(qui date le buste, stylistiquement, "vers le milieu des années 1670") ;
Souchal 1977-1987, t 1, nº 52, p 261 ;
Beyer et Bresc 1977, fig 25 ;
Cantarel-Besson 1981, t 1, p 152.

Ce superbe portrait, saisissant de présence et d'autorité, est sans doute quelque peu antérieur à l'*Andromède*. Sous le ruissellement de la chevelure, le visage est ennobli par une exécution lisse qui abolit imperfections ou particularités trop voyantes.
La tête pivote et se lève, le regard est emporté au loin. Les plis sobres du drapé accompagnent le mouvement, mais dégagent la dentelle minutieusement traitée de la chemise qui s'entrouve. Débraillé du créateur en proie à l'inspiration, fougue et souveraine maîtrise de soi : l'œuvre, dans son romantisme avant la lettre, est la plus belle effigie d'artiste que la sculpture française du XVIIe siècle nous ait laissée.

Mignard et Desjardins étaient certainement liés.
Le sculpteur resta longtemps fidèle à l'Académie de Saint-Luc, dont le peintre était le principal animateur, et tous deux collaborèrent, à la fin des années 1680, à la grande entreprise des bas-reliefs de bronze de la Place des Victoires, pour lesquels Mignard dessina des modèles. Un *Pan et Syrinx* de Mignard apparaît à l'inventaire après décès de Desjardins, en 1694.

1 Le document est conservé aux archives Condé de Chantilly, "Compte 1679" (cote 96 d), folio 242 verso, dans la rubrique "Despence extraordinaire" (voir aussi la publication donnée par Macon, 1900, page 220).

2 Chantilly, archives Condé, volume LXXVIII des *Lettres* du Grand Condé, folio 291 verso (*cf* aussi Macon, 1900, page 220).

3 Chantilly, archives Condé, "Compte 1679", folio 241 recto (le document est inédit).

cat 3 Antoine Coysevox
1640-1720
Le Grand Condé
bronze H 0,75 m
Musée du Louvre
Département des sculptures
Inv MR 3343

historique
Réalisé en 1688, deux ans après la mort du modèle, le buste était destiné à l'hôtel du prince de Conti, neveu du Grand Condé, et fut payé 1 600 livres ; saisi, pendant la Révolution, à l'hôtel de Conti, il fut un temps déposé au Ministère des Finances et entra au Louvre en l'An VIII.

bibliographie
Courajod 1877 ;
Charavay, Menu, Guiffrey 1877 p 174-178 ;
Bapst 1892, p 218 ;
Keller-Dorian 1920 t I, n° 44, p 62-63 ;
Benoist 1930, p 93-94 ;
Beyer et Bresc 1977, fig 23 ;
Souchal 1977-1987 n° 7 c, p 179.

exposition
Brisbane et **Tōkyō** 1988 n° 21

Le guerrier est saisi dans sa laideur puissante de rapace. Sa cuirasse à l'antique, aux motifs splendidement détaillés, le transporte dans le monde des *imperatores* ou des héros.
"Quand la témérité est heureuse, elle met les hommes au nombre des dieux."
(La Fontaine, *Comparaison d'Alexandre, de César et de Monsieur le Prince,* 1684).
Le Grand Condé s'était retiré à Chantilly en 1676. La Fontaine, pour chanter sa retraite, retrouve les thèmes de l'*otium* cher à Montaigne : "M. le Prince (...) trouve le secret de jouir de soi. Il embrasse tout à la fois et la Cour et la campagne, la conversation et les livres, les plaisirs des jardins et les bâtiments."
C'est sans doute dès les premiers temps de son séjour que l'*Andromède* fut entreprise, mais il fallut attendre 1679 pour voir le tableau terminé.

fig 3 **Pierre Mignard**
La famille de Darius
Ermitage

sait, sinon la toile achevée, du moins ses dimensions et on s'était occupé de fabriquer — extrêmement cher — un cadre qui pût lui convenir. De son côté l'abbé de Monville, dans sa biographie de Mignard, précise que "M. le Prince lui avoit demandé long-tems auparavant" le tableau "pour Chantilly" (**cat 4**)[4] : l'affaire, vraisemblablement, durait donc depuis déjà un certain temps et la destination de l'œuvre avait été fixée à l'avance.

Son prix était tout à fait considérable. A titre de comparaison, rappelons simplement que la gigantesque *Famille de Darius* (2,98 m × 4,515 m) *(fig 3)*, peinte par Mignard une dizaine d'années plus tard et aujourd'hui à l'Ermitage, fut estimée 5 000 livres à l'inventaire après décès de Louvois, en 1691[5] ; et que le marquis de Seignelay, sans doute le premier collectionneur de son temps, "mit toute la curiosité en feu" lorsqu'il acheta pour 3 400 livres, vers 1685-1690, le *Moïse foulant la couronne de Pharaon* de Poussin, qui s'était vendu seulement 2 000 livres à la vente Pointel de 1660[6]. Quant au roi lui-même, son paiement le plus élevé dans ce domaine semble avoir été l'achat groupé, en 1685, de la *Timoclée* du Dominiquin et d'une *Nativité* de Ludovic Carrache, acquises ensemble pour 11 000 livres[7]. La somme versée pour le *Persée et Andromède* était d'un montant comparable : à elle seule elle suffirait à désigner une œuvre majeure. On notera de

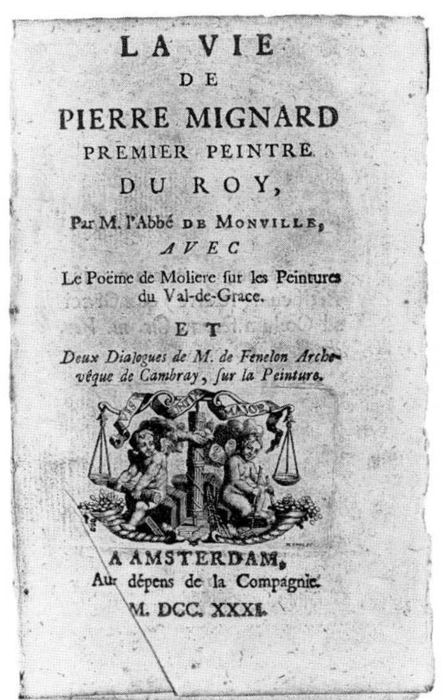
LA VIE
DE
PIERRE MIGNARD
PREMIER PEINTRE
DU ROY,
Par M. l'Abbé DE MONVILLE,
AVEC
Le Poëme de Moliere sur les Peintures du Val-de-Grace.
ET
Deux Dialogues de M. de Fenelon Archevêque de Cambray, sur la Peinture.

A AMSTERDAM,
Aux dépens de la Compagnie.
M. DCC. XXXI.

cat 4 Simon-Philippe Mazière de Monville
La Vie de Pierre Mignard Premier Peintre du Roy, Par M. l'Abbé de Monville, avec Le Poëme de Moliere sur les Peintures du Val-de-Grace. Et Deux Dialogues de M. de Fenelon Archevêque de Cambray, sur la Peinture. A Amsterdam, Aux dépens de la Compagnie, M.DCC.XXXI.
collection particulière

La *Vie de Pierre Mignard* fut rédigée par l'abbé de Monville à partir des papiers fournis par Catherine Mignard, fille du peintre, qui avait épousé, en 1696, le comte de Feuquières. Le livre fut édité à Paris, chez Jean Boudot et Jacques Guerin, en 1730 : il est la première biographie d'un artiste français qui ait jamais été publiée.

L'ouvrage était complété par le poème de Molière sur la *Gloire du Val-de-Grâce,* grande fresque peinte par Mignard en 1666, et par deux *Dialogues* inédits de Fénelon sur la peinture. Témoignage de son succès, une édition "pirate" parut à Amsterdam dès l'année suivante. Nous présentons ici un exemplaire de cette contrefaçon hollandaise. Il est le seul, parmi ceux que nous connaissons, qui offre la particularité remarquable de regrouper dans un même volume le texte de Monville et toute une littérature aristocratique (*Mémoires* d'Agrippa d'Aubigné et du duc de Bouillon, *Relation de la Cour de France en 1700, Histoire de Madame de Mucy,* etc.) : la vie d'un peintre rejoignait, sous cette forme, celle des membres de la plus haute noblesse.

4 *cf* Monville, 1730, page 125.

5 *cf* Boyer, 1980 [1982], n° 107, pages 153-154, n° 39.

6 *cf* Thuillier et Mignot, 1978, n° 12, page 51 (à compléter, pour ce qui concerne le paiement de Seignelay, par Amand, 1982, page 55 et n° 16, page 105).

7 *cf* Guiffrey, 1881-1901, tome II, col. 661.

cat 5 d'après Pierre Mignard
L'Eté ou
Sacrifice à Cérès
laine, soie et or, haute lisse
4,70×6,20 m
Paris, Mobilier National
Inv F.1082

historique
la pièce fait partie de la première Tenture de Saint-Cloud qui, tissée aux Gobelins, dans l'atelier de Jans, entre 1686 et 1691, fut d'abord payée par Louvois puis achevée aux frais de la Couronne.

cat 6 d'après Pierre Mignard
L'Hiver ou
Cybèle implorant le retour du soleil
laine, soie et or, haute lisse
4,79×6,16 m
Paris, Mobilier national
Inv GMTT 69/4

historique
la pièce fait partie de la troisième Tenture de Saint-Cloud, tissée aux Gobelins, dans l'atelier de Jans, en 1692-1693.

bibliographie
(pour les nos 5 et 6)
Lacordaire 1853, p 65 et 81 ;
Lafond 1893, p 178-179 ;
Fenaille 1903, t II, p 399-417 ;
Hepp 1911 ;
Nolhac 1911 ;
Göbel 1928, p 149 ;
Weigert 1964, p 110.

exposition
Paris 1883, n° 3 et 5, p 8 ;
Versailles 1910, pièces 2 et 4.

Le décor de la Galerie d'Apollon, à Saint-Cloud, fut achevé en 1678 et précède de peu, selon toute vraisemblance, la création de l'*Andromède*. Cette réalisation capitale périt dans l'incendie du château, pendant le siège de Paris en 1870 : on ne peut guère l'évoquer aujourd'hui - encore est-ce de façon incomplète - que grâce à de rares photographies, et par le truchement de quelques esquisses, estampes et tapisseries.

Ces tentures aux riches bordures permettent assez bien d'imaginer les grands compartiments peints, entourés de cadres de stuc, qui garnissaient la voûte du long vaisseau. Mignard varie savamment les effets : ainsi à l'*Eté,* construction pleine et régulière, lourdement scandée comme par le pas d'une procession, s'oppose le monde de l'*Hiver,* cahotique et percé de rafales de vent, où les créatures apeurées courent s'abriter de la tempête. Pour l'*Andromède,* l'artiste aura recours à une composition beaucoup plus simple, qui lui permettra de concentrer l'attention sur les passions des personnages.

surcroît qu'il s'agissait là de la création d'un peintre contemporain en pleine activité, et non de celle, définitivement close et chaque année plus rare, d'un maître du passé.

Depuis le milieu de 1677, Mignard était occupé, pour *Monsieur,* au château de Saint-Cloud. Entreprise pour le propre frère du roi, la décoration d'une galerie, de deux salons et de la chapelle était une réalisation hors du commun qui n'allait être terminée qu'en 1682 (**cat 5** et **6**)[8]. C'est dans un intervalle de ces grands travaux, dans quelque moment de répit, que le peintre put mener à bien son *Persée et Andromède* : certainement dans la seconde moitié de 1678 lorsque, après l'achèvement des peintures de la galerie d'Apollon, *Monsieur* organisa pour la visite du roi et de la cour des fêtes somptueuses[9]. Si l'on tient compte des indications données par Monville et du long délai qu'il signale, il apparaît que le tableau avait été demandé par Condé dès les premiers temps, ou peu s'en faut, de sa retraite à Chantilly : c'est là que le génial chef de guerre, le vieux rebelle repenti, s'était établi après avoir quitté le service, en 1676. Il s'y consacrait à remodeler l'ancien château, à régler ses dernières affaires et à ne plus s'occuper désormais que des choses de l'esprit[10] *(fig 4)*.

L'acquisition de tableaux faisait partie maintenant de ses préoccupations. Sans doute possédait-il déjà certaines

8 La date de 1682 est celle de la grande *Pietà* de la chapelle (aujourd'hui à l'église Sainte-Marie-Madeleine de Gennevilliers).

9 *cf le Mercure Galant* d'octobre 1678, pages 329-331 et 333, et Laurent, 1678, pages 4 et 13.

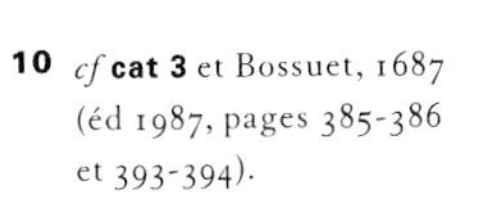

10 *cf* **cat 3** et Bossuet, 1687 (éd 1987, pages 385-386 et 393-394).

fig 4 *Le Grand Condé dans son cabinet*
miniature
Londres, Victoria and Albert Museum
collection Jones

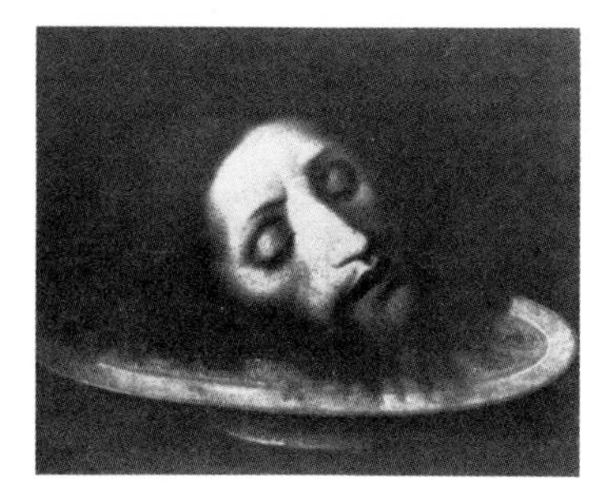

œuvres qui lui avaient été transmises par héritage : c'est le cas, vraisemblablement, des peintures dont Félibien, dans ses premiers *Entretiens* parus entre 1666 et 1679 [11], signale la présence à l'hôtel parisien de Condé (parmi elles une *Tête de saint Jean-Baptiste* de Léonard qui a disparu mais dont il existe, à notre avis, la copie) *(fig 5)* [12]. Mais surtout les documents — et notamment les lettres reçues du maître des comptes et collectionneur Passart, qui lui servait de conseiller artistique [13] — attestent que M. le Prince suivit de près le marché de l'art, pendant ses dernières années. Son activité dans ce domaine n'a guère été étudiée jusqu'ici mais nous croyons que quelques-uns de ses achats peuvent être identifiés [14]. Ainsi le *Baptême du Christ* de l'Albane fut acquis du marchand Hérault qui l'avait eu, en 1681, à la mort du duc de Lesdiguières : or sa description par Passart concorde avec celle d'un tableau qui figura, en 1779, à la vente Calvière et qui fut dessiné à cette occasion par Gabriel de Saint-Aubin *(fig 6)* (il est d'ailleurs fort possible que la toile ait été jadis rapportée d'Italie par Mignard lui-même) [15]. De même le *Psyché et l'Amour* du Guide, payé 2 750 livres au marchand Picard en 1676 et restauré par Mauperché trois ans plus tard [16], est aujourd'hui perdu [17]. Mais Mignard, profond connaisseur et admirateur des peintres bolonais, s'en était inspiré aussitôt pour son *Amour*

fig 5 **Léonard de Vinci**
(copie d'après)
Tête de saint Jean-Baptiste

fig 6 **Gabriel de Saint Aubin**
croquis du *Baptême du Christ* de l'Albane en marge du catalogue de la vente Calvière 1779
Paris, Bibliothèque nationale

fig 7 **Pierre Mignard**
(ou son atelier)
Le Comte de Toulouse en Amour endormi
Stockholm, National museum

11 *cf* Félibien, 1685-1688 (les *Entretiens* I et II avaient d'abord paru en 1666, les III et IV en 1672, les V et VI en 1679).

12 Nous proposons de reconnaître dans la peinture publiée en 1919 par Luigi Albizzi une copie du tableau peint par Léonard pour son ancêtre Camillo degli Albizzi, dont Félibien (1685-1688, tome I, page 195) assure qu'il "est à present à l'Hostel de Condé dans le cabinet de M. le Prince".

13 Ces lettres ont été publiées par Macon, 1900, pages 222-226. Sur la personnalité de Passart, *cf* Thuillier, 1968, page 166, n. 1 et Boyer, 1988, page 12 et n. 6, page 13.

14 Nous devons nous borner à donner ici quelques indications.

15 Mignard l'aurait acquise à Rome en même temps que la *Timoclée* du Dominiquin mentionnée *supra* (sur ce point, nous nous permettons de renvoyer à notre étude à paraître dans les *Actes du colloque Seicento de* 1988, sous presse).

16 *cf* Macon, 1900, pages 218 et 228.

17 *cf* Pepper, 1984, appendice 1, C6, page 300 (l'auteur ignore le tableau Condé et considère comme seul original la peinture signalée dans la collection Hercolani de Bologne).

endormi (fig 7)[18], et son allégeance, dans ce dernier tableau, est si ostensiblement proclamée qu'elle lui fut plus tard reprochée comme preuve d'un manque d'imagination[19] : du même coup, on peut reconnaître sinon la composition originale de Reni, du moins les nombreuses copies qui dérivent d'elle *(fig 8)*[20]. Un *Saint Jérôme* de Gérard Dou, un *Paysage* de Millet, un *Christ avec saint Pierre, saint Paul et deux anges* d'Antonio Moro *(fig 9)*, furent aussi acquis vers le même temps. Et en 1685 Mignard pouvait encore écrire au marchand Garigue, avec qui il était en relations d'affaires :

"Un autre avis que je vous donne, c'est que Mr Passart pourrait bien vous faire vendre vos tableaux à Mgr le Prince lorsqu'il sera à Paris. Lui dire que c'est de mon conseil et que le roi l'a su, mais qu'il n'achète point de demi-figure, quand elle serait de la main de Raphaël, et qu'il ne peut jamais faire mieux pour servir son Altesse" (**cat 7**)[21].

La politique d'achats de Condé n'était donc pas achevée à cette date et tout indique qu'elle avait été poursuivie depuis plusieurs années avec énergie et persévérance. A Chantilly *(fig 10)*, c'est un ensemble de premier plan, soigneusement choisi et réuni, que le *Persée et Andromède* venait rejoindre.

Mignard est omniprésent dans les lettres de Passart : informé des dessous du commerce, dernier recours pour l'arrange-

18 De tous les exemplaires connus, celui de Stockholm semble le meilleur et pourrait être autographe (nous remercions M. Pontus Grate et M. Sylvain Laveissière de nous avoir fait part de leur sentiment sur ce point).

19 *cf* Fontaine, 1914, page 180.

20 Nous reproduisons ici *(fig 8)* l'exemplaire du musée des Beaux-arts de Rennes (Inv 794-1-37).

21 *cf* **cat 7** (nous modernisons ici l'orthographe).

fig 8 **Guido Reni** (copie d'après)
Psyché et l'Amour
Rennes, Musée des beaux-arts

fig 9 **Antonio Moro**
Christ avec saint Pierre, saint Paul et des anges
Chantilly, musée Condé

fig 10 **Levin Cruyl**
Vue de Chantilly en 1680
Chantilly, musée Condé

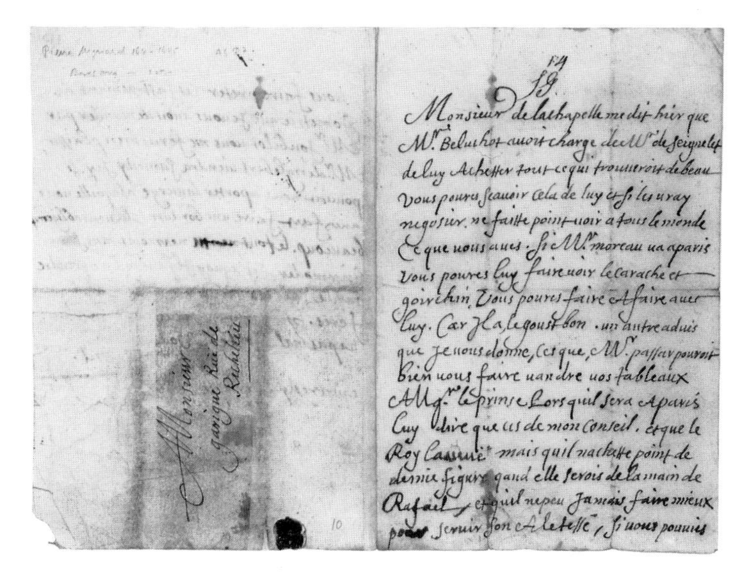

Monsieur Garigue Rue de Richelieu

19

Monsieur delachapelle me dit hier que
Mr. Beluchot auoit charge de Mr de Seignelay
de luy Achetter tout ce qui trouueroit de beau
Vous pourres scauoir cela de luy et si les vray
negosier ne faitte point voir a tous le monde
Ce que vous aues. Si Mr. moreau va a paris
Vous pourres luy faire voir le Caracche et
goirchin. Vous pourres faire Afaire auec
luy. Car Il a le goust bon. un autre aduis
que je vous donne, cest que Mr. passar pourroit
bien vous faire vandre vos tableaux
A Mgr le prinse lors quil sera a paris
luy dire que ces de mon conseil. et que le
Roy l'assure mais quil n'achette point de
derniere figure quand elle serois de la main de
Rafael, et quil ne peu jamais faire mieux
pour servir son Altesse, si vous pouuies

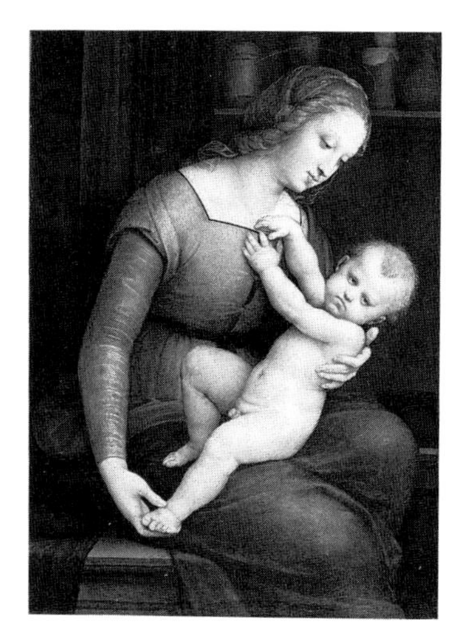

cat 7 **Pierre Mignard**
Lettre à Garigue
Paris, Institut néerlandais
Fondation Custodia
Inv nº 1971-A. 109

bibliographie
Boyer 1988, p 11-13
(avec références antérieures).

Quelques indices permettent, croyons-nous, de dater cette lettre du début de l'été 1685. Mignard était alors installé à Versailles, où il travaillait au décor de la Petite Galerie (aujourd'hui détruite). Son correspondant parisien était le marchand de tableaux Garigue.

fig 11 **Raphaël**
La Madone de la Maison d'Orléans
Chantilly, musée Condé

ment ou la restauration d'une toile, il fait figure d'*ultima ratio* pour tout ce qui concerne les acquisitions de tableaux. Les deux hommes s'étaient sans doute rencontrés bien auparavant à Rome, où le maître des comptes avait séjourné en 1643 alors que le peintre y jouait déjà les premiers rôles. Michel Passart était un amateur très distingué, qui avait su séduire Poussin et posséda plusieurs chefs-d'œuvre de ce dernier à côté de créations de Claude et de Dufresnoy, l'ami intime de Mignard. Compté depuis longtemps au nombre des collectionneurs en vue de Paris — une *Vierge à l'Enfant* de Râphaël, aujourd'hui célèbre sous le nom de *Madone de la Maison d'Orléans* faisait partie de son cabinet (*fig 11*)[22] — il figure sous le nom de Humart dans le célèbre *Banquet des curieux* qui fut un des principaux pamphlets échangés lors de la Querelle du Coloris de 1675-76[23]. La part qu'il prit dans l'affaire n'est pas précisée, et nous ignorons la position qui fut la sienne dans la dispute qui opposa les partisans de Poussin à ceux de Rubens. Mais par ailleurs sa correspondance le montre ouvert à des formes d'art très diverses, de Véronèse à l'Albane, de Ludovic Carrache à Paul Bril, du Guide à Goffredo Wals. Cet éclectisme et cette ampleur de vue le rapprochaient certainement de Mignard, auquel le *Banquet* l'associe et dont les deux partis de la Querelle se disputèrent l'appui, sans jamais parvenir ni

22 Le tableau passa à l'abbé de Camps, puis au duc d'Orléans. Acquis au XIXe siècle par le duc d'Aumale, il est aujourd'hui au musée Condé de Chantilly.

23 *cf* Thuillier, 1968, page 166.

nous faire preter cet instruimant de
Jometrie que Je vous avois demander par
Mr Joubelot vous me feries bien plaissir,
Mr dinglebert viendra samedy Jcy. si
pouvoit nous aporter la vierge a laquelle vous
aves fait faire une bordure cela nous obligeroit
beaucoup. le tout neamoint sans
si incomoder. Ces a quoy Il faudra bien prendre
garde. a la premiere ouverture que vous luy
feres. mon ouvrage sadvance, ma santé ne
va pas mal. toute A vous
Mignard.

ce mecredy. versaille.

Le document montre que le Grand Condé, quelques années après avoir acquis l'*Andromède* et presque à la fin de sa vie, cherchait encore à accroître sa collection de peintures.
Ce faisant, il risquait d'entrer en concurrence avec le roi lui-même, et Mignard, sur ce point, s'emploie à mettre en avant des arguments rassurants.

Michel Passart conseillait le prince dans ses achats d'œuvres d'art. Cet amateur réputé connaissait fort bien Mignard, qui apparaît très souvent dans ses lettres à Condé : il est probable – mais nous n'en avons pas de trace – qu'il joua un rôle dans l'entrée de l'*Andromède* dans la galerie de Chantilly.

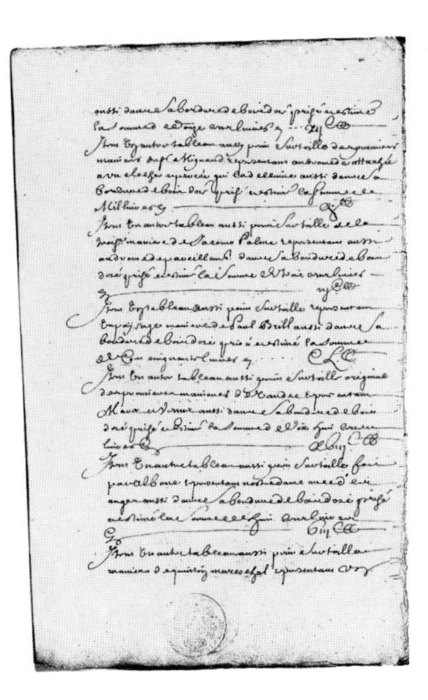

cat 8 *Inventaire après décès d'Henri-Jules de Bourbon, prince de Condé*
7 mai 1709
Paris, Archives Nationales
Minutier Central XCII, 390

bibliographie
Rambaud 1964, p 527

On retrouve à Chantilly, inventorié à la mort du fils du Grand Condé, "un autre tableau aussy peint sur toille des premières manières du Sr. Mignard representant Andromède attachée à un rocher et Persée qui la delivre aussi dans sa bordure de bois doré". L'expression "premières manières" ne saurait désigner ici une création de jeunesse : elle marque plutôt que les experts appelés pour l'inventaire étaient sensibles à l'originalité du tableau, qui est assez éloigné, en effet, de la production plus tardive de Mignard (et notamment des œuvres, mieux connues, de la collection royale).

La peinture est encore signalée au château par Monville. On ignore ensuite son sort, et elle n'apparaît pas dans les saisies révolutionnaires qui suivirent l'émigration du dernier prince de Condé (*cf* aux Archives départementales de l'Oise, les dossiers 102 1882 à 1885, 1888, 1890, 1891, 1894 et 2027 14 ; *cf* aussi Sorel, 1872 et Lex, 1915).

l'un ni l'autre à se l'annexer : présenté par le pamphlet comme un véritable "Oracle"[24], Mignard ne pouvait manquer, grâce à Passart, d'être mêlé de près au rassemblement de la galerie de Chantilly.

Des documents postérieurs donnent une image quelque peu détaillée de cette collection. Il s'agit tout d'abord de notes prises par Fénelon, à une date qu'on ne peut fixer avec précision, lors d'une visite au château[25] : le tableau de Mignard lui "paroît foible" et il lui préfère une *Andromède* de Palma ou même un *Vénus et Vulcain* "peu touchant" de Le Brun. D'une façon générale les jugements de l'écrivain sont sévères et son ton tranchant préfigure souvent celui de Diderot : le *Christ* de Moro "est un ouvrage médiocre", l'*Assomption* de Van Dyck "ne sert qu'à montrer qu'il n'auroit jamais dû travailler qu'en portraits", etc. Mais Fénelon, qui pratique ici la critique psychologique (Mars est "trop grossier" et Vénus "trop maniérée", etc.), n'a garde de se poser en amateur : il s'avoue "ignorant" et confond d'ailleurs Léonard et Titien. Surtout l'inventaire de Chantilly dressé, en 1709, à la mort d'Henri-Jules de Bourbon, fils du Grand Condé (**cat 8**), révèle une hiérarchie toute différente de la sienne : la prisée de loin la plus forte va précisément au tableau de Moro et l'*Andromède,* quant à elle, est estimée 1 000 livres, contre 300 seulement la peinture de Palma et 800 le *Vénus et Vulcain* de Le Brun ! Il est

24 *Ibid.*

25 Ce "Jugement sur différens tableaux" — sans doute issu d'un voyage à Chantilly en compagnie du duc de Bourgogne, dont il était le précepteur — figure au tome XIX des *Œuvres* de Fénelon, Paris, 1820-1830, pages 462-464.

clair qu'aux yeux des connaisseurs et des spécialistes — les peintres Louis de Silvestre et Étienne Gueuslain, qui assurèrent les estimations — l'œuvre de Mignard ne cessait d'avoir une valeur éminente.

L'artiste l'avait soigneusement élaborée puisque deux paquets de dessins préparatoires, dont aucun malheureusement n'a été retrouvé, sont mentionnés dans son inventaire après décès, en 1695 (**cat 9**). Il est possible aussi qu'il ait traité une autre fois le thème, étant donné que deux catalogues de vente du XVIIIe siècle signalent, sous son nom, une composition à la plume et au lavis figurant la délivrance d'*Andromède* (**cat 10** et **11**). Mais à chaque fois la feuille se trouve associée à une autre qui représente *Apollon et Daphné* : on peut donc supposer l'existence d'un pendant, sur lequel aucun renseignement ne nous est parvenu, mais qui laisse forcément à part, de toute façon, le tableau isolé de Chantilly.

Les relations entre le glorieux premier prince du sang et le peintre avaient commencé très tôt, dès que le héros fut rentré en France, en 1660, pour se faire pardonner les campagnes qu'il venait de mener à la tête des armées ennemies. Mignard était à Paris depuis l'année précédente, à l'issue d'un séjour romain d'un quart de siècle, et Monville assure que "dès que M. le Prince fut rentré dans les bonnes graces du Roi, il fit faire sous ses yeux le portrait du Duc d'Anguien, pour lequel il

cat 9 *Inventaire après décès de Pierre Mignard*
13, 14 et 16 juin 1695
Paris, Bibliothèque Nationale
Département des manuscrits
Papiers De Cotte, Ms. fr 9447
folio 190 recto à 200 verso

bibliographie
Boyer 1980 [1982].
Dans la rubrique des "Desseins faits avant que M. Mignard fut premier peintre" (c'est-à-dire avant 1690) figurent deux "paquets" : "1 de desseins d'un tableau de Persée n° 140" et "1 d'estudes d'un tableau d'Andromede n° 326", qui ont toute chance de se rapporter au tableau Condé. Aucune de ces feuilles n'a malheureusement été retrouvée.

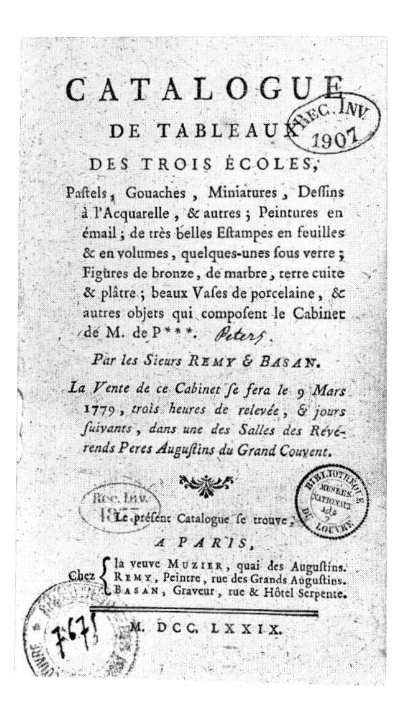

CATALOGUE
DE TABLEAUX
DES TROIS ÉCOLES,
Pastels, Gouaches, Miniatures, Dessins à l'Acquarelle, & autres; Peintures en émail; de très belles Estampes en feuilles & en volumes, quelques-unes sous verre; Figures de bronze, de marbre, terre cuite & plâtre; beaux Vases de porcelaine, & autres objets qui composent le Cabinet de M. de P***. *Peters.*

Par les Sieurs Remy & Basan.

La Vente de ce Cabinet se fera le 9 Mars 1779, trois heures de relevée, & jours suivants, dans une des Salles des Révérends Peres Augustins du Grand Couvent.

Le présent Catalogue se trouve,
A PARIS,
Chez { la veuve Muzier, quai des Augustins. Remy, Peintre, rue des Grands Augustins. Basan, Graveur, rue & Hôtel Serpente.

M. DCC. LXXIX.

CATALOGUE
D'UNE COLLECTION
DE DESSINS
DES TROIS ÉCOLES,
GOUACHES, MIGNIATURES, ESTAMPES, ET AUTRES CURIOSITÉS.
PROVENANT DU CABINET DE M.***
Dont la vente se fera le Mercredi 19 Novembre 1783
A l'Hotel de Bullion, rue Plâtriere,
Par M. le Brun le Jeune.
L'on verra les objets le jour qui précédera la Vente, depuis dix heures, jusqu'à une heure, & le matin des vacations.

Le présent Catalogue se distribue,
Chez Mʳ. { Boileau Huissier-Priseur, rue de Seine, Hôtel de Varsovie. Et le Brun, Peintre, rue du Mail.

M. DCC. LXXXIII.

DESSINS MONTÉS. 27

Idem.

95 Deux gouaches, Marine, Paysage & Architecture, ornées de figures.
Hauteur 6 pouces, largeur 8 pouces & demi.

Perelle.

96 Un Paysage & figures, à la plume sur papier blanc.
Hauteur 3 pouc. larg. 5 pouces.

Mignard.

97 Deux Dessins à la plume & coloré aux eaux, l'un représente Apollon poursuivant Daphné, & l'autre Persée qui délivre Andromede.
Hauteur 6 pouces & demi, largeur 5 pouces.

François Lemoine.

98 Un Dessin au crayon rouge, représentant Pirame & Tisbée.
Hauteur 12 pouces, larg. 9 pouces.

Charles de la Fosse.

99 Une composition de deux figures coloriées.
Haut. 6 pouc. larg. 5 pouc.

cat 10 *Catalogue de tableaux (...) qui composent le Cabinet de M. de P. ... Par les Sieurs Remy & Basan (...)*
vente à Paris, 9 mars 1779
et jours suivants
Bibliothèque centrale
des musées nationaux
Nº 7675.

cat 11 *Catalogue d'une collection de dessins des trois écoles (...) provenant du cabinet de M. ... (...) par M. le Brun le Jeune (...)*
vente à Paris, 19 novembre 1783
Paris, Bibliothèque de l'Institut
de France
Duplessis 8º, 318

Un dessin de Mignard, à la plume et à l'aquarelle, représentant la délivrance d'Andromède, apparaît dans deux ventes du XVIIIᵉ siècle. Associé chaque fois à un *Apollon et Daphné,* il est peu probable qu'il ait été en rapport avec le tableau peint pour Condé.

En 1783, la feuille fut adjugée, pour 13 livres 5 sols, à Constantin : elle ne se retrouve pas à la vente Constantin de 1817.

avoit une tendresse infinie (...) Le grand Condé marqua qu'il sçavoit juger en connoisseur, & païer en Prince"[26]. Ce portrait de son fils Henri-Jules de Bourbon a disparu et n'est plus connu que par des gravures : celle de Nanteuil (**cat 12**) porte la date de 1661 et n'est guère précédée, pour ce qui concerne la production parisienne de Mignard, que par quelques estampes reproduisant les effigies du roi, de la reine mère Anne d'Autriche et de Mazarin. Il s'agissait donc d'un tableau marquant, qu'on s'occupa vite de faire connaître au public. Quelque temps après, l'artiste peignit le portrait de Gourville[27]. Toutes ces données — auxquelles on doit ajouter ses liens suivis avec Passart — finissent par s'organiser en faisceau : réalisation de tableaux, liaisons avec des familiers du prince, autorité dans les affaires du commerce d'art et connaissance intime de la collection en devenir, les contacts entre Mignard et Condé pouvaient être multiples et solides. De tels rapports laissent assurément moins de traces qu'une activité officielle, dûment consignée par les scribes de l'administration des Bâtiments du Roi. Mais ce que nous en devinons aide peut-être à saisir comment le peintre, tenu depuis longtemps en marge des commandes royales, pouvait néanmoins s'appuyer sur une clientèle aristocratique pour mener une carrière extrêmement brillante. Si sa création est devenue pour nous presque insaisissable et difficile à reconsti-

cat 12 **Robert Nanteuil d'après Pierre Mignard**
Portrait d'Henri-Jules de Bourbon, duc d'Enghien
Musée du Louvre
Département des arts graphiques
collection Rothschild

bibliographie

Le Comte
1702, t 1, p 330 ;
Monville
1730, p 68, n (a) ;
Petit-Jean et Wickert
1925, t 1, n° 68, p 185-sq.

L'estampe porte la date de 1661 : de fait le modèle ne porte pas encore les insignes de l'Ordre du Saint-Esprit qu'il reçut le 31 décembre de cette année-là, en même temps que son père le Grand Condé.

Le tableau original est perdu (on en connaît quelques copies peintes), mais fut gravé, outre Nanteuil, par Nicolas de Poilly et L. Mar : dans les premiers temps de son retour d'Italie, Mignard, pour s'imposer sur le marché parisien, multiplia les portraits de grands personnages, qui débouchaient fréquemment sur l'estampe.

26 *cf* Monville, 1730, pages 67-68.

27 *Ibid,* page 69.

cat 13 *Mercure Galant*
juin 1679
Paris, Bibliothèque historique
de la Ville

bibliographie
Thuillier
in catalogue de l'exposition
Versailles,
1963, p LXVI et 422.

Inféodé à Le Brun, le *Mercure* passe sous silence l'*Andromède,* au moment où le tableau est installé à Chantilly. En revanche il ne manque pas de rapporter (p 204-207) la "Promenade de Son Altesse Serenissime Monsieur le Duc — c'est-à-dire Henri-Jules de Bourbon —, à la Maison de Monsieur Le Brun à Montmorency".

tuer, elle s'offrait aux contemporains dans toute sa variété et avec tout l'éclat des grands noms auxquels elle était destinée.

Aucune information directe ne permet d'apprécier le retentissement, en 1679, de l'*Andromède.* Monville, toutefois, se fait l'écho de l'enthousiasme suscité par le tableau qui "enleva tous les suffrages" ; il note aussi — belle flatterie à l'égard de celle qui était devenue entre-temps comtesse de Feuquières ! — la réaction agacée de Le Brun, jaloux du modèle que Catherine Mignard fournissait à son père**[28]**. De fait, on trouve sans doute une trace *a contrario* de l'accueil fait à la peinture dans l'attitude de Le Brun et de ses amis. Les deux artistes étaient depuis des années des rivaux déclarés. Or les archives Condé révèlent qu'en 1677 le premier peintre du roi était en train de peindre un tableau "pour mettre sur la cheminée du grand Cabinet de Monseigneur"**[29]**. Nous n'avons pas d'autre renseignement au sujet de cette œuvre mais en 1682 Gourville indiquait dans une lettre : "M. Le Brun a achevé le tableau de V.a.s. et croit que c'est la plus belle chose qu'il ait jamais faite"**[30]**. S'agissait-il de la même peinture ? Nous le croyons car l'inventaire de Chantilly dressé en 1709 ne compte qu'une seule composition de Le Brun, qui est en outre décrite avec précision par Fénelon**[31]** : elle représentait "Vénus avec Vulcain qui lui donne des armes pour Achille" et ce sujet, avec la

28 *Ibid,* page 125.

29 Chantilly, archives Condé, *Compte de l'année 1676-1677* (cote 96 d), folio 211 (*cf* aussi Macon, 1900, page 220).

30 *Ibid,* volume LXXXVIII des *Lettres* de Condé, folio 112 (*cf* aussi Macon, 1900, page 220).

31 *cf supra* **cat 8** et **25**.

forge qui en est le cadre comme obligé, est particulièrement bien adapté au décor d'une cheminée (il est d'ailleurs probable qu'il faille reconnaître l'œuvre dans le "Venus et Vulcain, dessus de cheminée" signalé à Chantilly, en 1793, par les envoyés de la Commission des monuments, sous une attribution à Loir)[32]. Si cette hypothèse est bonne, il apparaît que Condé avait demandé à peu près en même temps une création aux deux antagonistes : Fénelon, quant à lui, ne semble pas en avoir douté et précise qu'ils travaillèrent "avec émulation".

Le Brun fut le dernier (volontairement ou non ?) à terminer son tableau. Mais il n'est sans doute pas indifférent de constater que le *Mercure Galant*, qui lui était tout favorable et à l'opposé sourdement hostile à Mignard, consacra une part de sa livraison de juin 1679 (**cat 13**) à un événement mondain bien particulier : il s'agit de la visite que rendit à Le Brun, dans sa maison de Montmorency, le fils du Grand Condé en compagnie de La Rochefoucauld, de Bossuet et d'autres seigneurs. La réception eut de l'éclat et la revue la décrit assez longuement. La coïncidence des dates n'est certainement pas fortuite : au moment même où la toile de Mignard s'achevait, la relation du *Mercure* mettait en avant les égards manifestés à son rival. Pour les Condé — fort soucieux, à cette époque, de ne déplaire en rien au roi ni à ses minis-

204 MERCVRE
faite à Amſterdam dans le temps du Mariage de ce Prince. Le Revers repreſente la Princeſſe d'Orange ſa Femme. Vous ſçavez qu'elle eſt Fille du Duc d'York.

J'oubliay de vous dire dans ma Lettre du dernier Mois, que Son Alteſſe Séréniſſime Monſieur le Duc avoit fait l'honneur à M^r le Brun premier Peintre de Sa Majeſté, d'aller ſe promener à ſa Maiſon de Montmorency. Il eſtoit accompagné de M^r le Duc de la

GALANT. 205
Rochefoucaut, de Mr de Condom, & de pluſieurs autres Seigneurs de la Cour. Ils y arriverent le Dimanche 14. de May ſur les ſix heures du ſoir, & regarderent avec plaiſir, en entrant, la Façade de la Maiſon qui eſt du coſté de la Court. Ils monterent dans tous les Apartemens, & ſe promenerent en ſuite dans les Jardins. On y fit joüer toutes les eaux, dont ils admirerent les beautez. Ils furent ſurpris d'y voir tant de Canaux, de Fontaines,

32 *cf* le *Rapport des commissaires nommés par la Commission des Monu.ts pour aller à Chantilly* (1er mai 1793-sq), Beauvais, Archives départementales de l'Oise, 1.Q2.1890 : "124 Venus et Vulcain, dessus de cheminée, par Loir"; *cf* aussi le *Memoire* de Puthod publié par Lex, 1915, page 55.

33 On sait que pour Saint-Simon, le Grand Condé était "devenu la frayeur et la bassesse même jusque devant les ministres", et son fils "le plus vil et le plus prostitué de tous les courtisans" (*cf Mémoires*, édité par Y. Coirault, tome V, 1985, page 508).

tres[33] — il s'agissait de montrer au Premier peintre qu'on ne lui ménageait pas les satisfactions auxquelles son génie, sa gloire et ses hautes fonctions lui donnaient droit. Dépit d'un côté, précaution de l'autre : ces deux attitudes aident peut-être à comprendre l'accueil obtenu par l'*Andromède* enfin terminée. L'image qu'elles dessinent, comme une empreinte en creux, est celle d'un succès.

le roi *et* *ses ministres*

A tout prendre
Mignard est
un indépendant

Henry Jouin
Charles Le Brun
1889

fig 12 **Saint-Cloud**
La galerie d'Apollon
vue vers le Salon de Mars
collection de la BHVP

fig 13 **Versailles**
La galerie des glaces

34 C'est seulement en juillet 1681 que fut présentée au public, mais pour huit jours seulement, une partie de la Galerie des Glaces. Un autre morceau fut découvert à la fin de 1682 et l'ensemble ne fut pas achevé avant la fin de 1684.

L'entrée de l'*Andromède* dans la collection Condé survenait à une période cruciale. En 1679, en effet, Mignard était depuis deux ans, à Saint-Cloud, le protagoniste de la plus grande entreprise artistique du moment. L'ensemble des travaux exécutés pour *Monsieur* (**cat 14**) n'était pas terminé et le peintre était assuré de rester, jusqu'à leur conclusion, au tout premier plan de l'actualité. Mais un autre projet commençait, ailleurs, à prendre forme : celui du décor, à Versailles, de la Grande Galerie dont Jules Hardouin-Mansart poursuivait la construction. La galerie de Saint-Cloud était achevée, la décoration de celle de Versailles seulement projetée[34] : mais entre les deux ouvrages la comparaison était inévitable[35] *(fig 12 et 13)*. Louis XIV lui-même ne déclara-t-il pas, après que son frère eut organisé pour lui, au mois d'octobre 1678, une fête qui lui permit d'admirer la réalisation de Mignard (**cat 15**) : "Je souhaite fort que les peintures de ma gallerie de Versailles répondent à la beauté de celles-ci"[36] ? La demeure du roi, ses goûts personnels, sa politique artistique se trouvaient dès lors en cause. Autour d'un tel enjeu la lutte d'influence fut sévère. Dans son développement, elle déborda le champ strict du grand décor et finit par mettre en cause d'autres domaines de la création picturale : celui du portrait mais aussi celui des tableaux d'histoire dans lequel Mignard venait de produire, avec

35 "Il travailloit pour un grand Prince, dans un lieu où il étoit assûré que le Roi & toute la Cour viendroient voir ses ouvrages, & ne manqueroient pas d'en faire des comparaisons avec ceux que le Brun faisoit alors à Versailles" (*cf* Caylus, 1752, pages 154-155).

36 *cf* Monville, 1730, pages 121-122. Caylus (1752, pages 155-156) confirme la forte impression que firent sur le roi les décors de Saint-Cloud.

cat 14 **Gérard Scotin d'après Pierre Mignard**
Philippe d'Orléans, frère du roi
Paris, Bibliothèque Nationale
Département des Estampes
AA3 *Scotin*

Dans son numéro du premier trimestre 1677, le *Mercure galant* rapporte à propos de *Monsieur* que "son Altesse Royale, quelques jours avant son départ pour l'Armée, alla chez le Sieur Mignart de Rome, où elle admira plusieurs Ouvrages de ce grand Maître. On peut dire qu'il y a chez luy des Originaux parfaits, qui ne se peuvent copier" (*cf* p 140). La visite à l'atelier du peintre était liée, selon toute vraisemblance, à la décision de confier à celui-ci la décoration de toute une aile du château de Saint-Cloud. Le 11 avril suivant, Philippe d'Orléans allait s'illustrer, face à Guillaume d'Orange, à la bataille de Cassel.

Le portrait peint par Mignard fut le point de départ de plusieurs copies ou répliques d'atelier : la meilleure est celle acquise par le château de Versailles en 1968 (MV 8368 ; don Diercks de Casterlé), qui correspond exactement, en sens inverse, à la gravure de Scotin.

cat 15 **Pierre Mignard**
Le Parnasse
sanguine, traces de pierre noire,
lavis gris et rehauts de blanc
mis au carreau
annoté *Mignard* en bas à droite
0,29×0,37 m
Béziers, Musée des Beaux-Arts
Inv 424

historique
entré au musée avec le legs Adalbert de Faniez, en 1896.

bibliographie
Boyer 1980 [1982]
n° 249 et fig 28.

expositions
Paris 1983-1984, n° 172, p 153, et reproduit pl 174 ;
Paris 1989, n° 91, p 109.

Le dessin prépare la peinture qui garnissait, au-dessus des fenêtres, le mur du fond de la Galerie d'Apollon à Saint-Cloud. Il diffère par quelques détails de la tapisserie des Gobelins (*fig 14*) qui reproduit l'œuvre définitive, dont on retrouve ici, avec plus ou moins d'approximation, le format cintré.

Assis au milieu des neuf sœurs dans un bois de lauriers, Apollon "anime leurs concerts" (*cf* Monville, 1730, p 110) et leur fait noter le chant du rossignol, symbole de la musique. La composition s'inspire évidemment du *Parnasse* peint par Raphaël à la Chambre de la Signature (*fig 15*), mais s'en démarque par l'abandon d'une symétrie trop affirmée. Monville, pour sa part, célèbre avant tout la variété et la finesse des expressions de l'œuvre achevée :
"on distingueroit aisément chacune des filles de Mnemosine, sans le secours des differens emblêmes qui les caracterisent". On retrouvera dans l'*Andromède*, à peine postérieure, des ambitions analogues.

l'*Andromède*, un de ses chefs-d'œuvre.

Dès son retour d'Italie, une vingtaine d'années auparavant, l'artiste s'était imposé sur la scène parisienne en multipliant les décors prestigieux, à l'Arsenal dans l'appartement du Grand maître de l'artillerie, aux hôtels de Vendôme, d'Épernon, d'Hervart, de Lyonne, à l'église Saint-Eustache[37]. Sa gigantesque fresque du Val-de-Grâce avait été chantée en vers par Molière[38] et, lors de son voyage en France, le grand Bernin – démiurge adulé, sans doute l'artiste le plus glorieux du siècle – avait manifesté ostensiblement le cas extrême qu'il faisait de Mignard et de sa création[39]. De même que celles peintes par Simon Vouet, une génération plus tôt, la plupart de ces décorations ont aujourd'hui disparu et nous avons de la peine, dans ces conditions, à mesurer leur importance capitale. Mais en 1679 l'ampleur, la diversité de ces réalisations éclataient aux yeux de tous. Elles faisaient du peintre, précisément, comme un second Vouet, c'est-à-dire le grand décorateur parisien par excellence, celui – *primus inter pares* – dont l'œuvre ne pouvait être balancée exactement par aucune autre, quelque brillante qu'elle fût.

Il faut ici revenir sur les rapports entre Mignard et l'administration royale : ils sont commandés, dans une large mesure, par la rivalité ouverte qui l'opposait à Charles Le Brun. La concurrence entre les deux hommes était ancienne et s'était mani-

37 Cette activité si importante reste presque tout entière à étudier.

38 *cf* Molière, *La Gloire du Val-de-Grâce*, Paris, Pierre Le Petit, 1669.

festée, dans divers domaines, dès les premiers temps de la carrière française du peintre du Val-de-Grâce. En 1663, avec son ami Dufresnoy et le sculpteur Michel Anguier, Mignard avait publiquement refusé d'entrer à l'Académie royale de peinture et de sculpture, que Colbert était en train de réorganiser, pour ne pas y être soumis à l'autorité de Le Brun[40]. Du même coup, il renonçait, en principe, à toute commande officielle[41]. Le Brun, de son côté, était fermement soutenu par le ministre, devenu Surintendant des bâtiments en 1664. Une fois écarté Charles Errard, dont la forte personnalité aurait pu lui faire ombrage et qui fut envoyé en 1666 à la direction, prestigieuse mais lointaine, de l'Académie de France à Rome, il avait le champ libre. Son autorité de Premier peintre du roi pouvait s'exercer sans entrave.

On sait que l'appui de Colbert ne lui fit pas défaut, en fin de compte. Mais on aurait tort, croyons-nous, d'en conclure à l'hostilité du ministre à l'égard de Mignard. Les contemporains n'en jugeaient pas ainsi. On vit en effet, dans les années 1660, se multiplier les tentatives ouvertes d'attirer sur le peintre, malgré sa rupture publique avec l'Académie, la protection du tout-puissant surintendant. C'est à ce dernier que Dufresnoy dédia son grand traité *De Arte Graphica,* paru en 1668. L'année suivante Molière fut plus explicite encore dans son poème de la *Gloire du Val-de-Grâce*

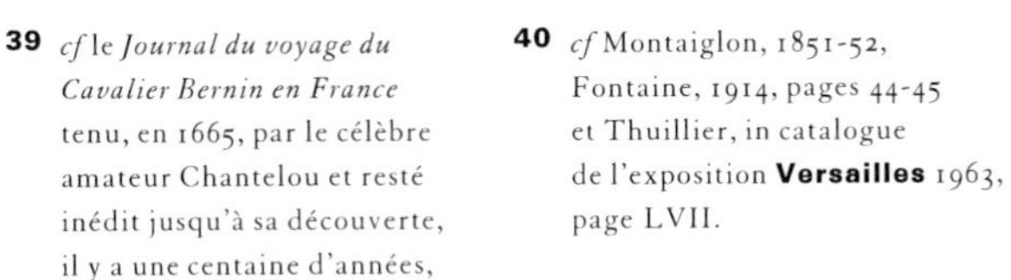

39 *cf* le *Journal du voyage du Cavalier Bernin en France* tenu, en 1665, par le célèbre amateur Chantelou et resté inédit jusqu'à sa découverte, il y a une centaine d'années, par Ludovic Lalanne.

40 *cf* Montaiglon, 1851-52, Fontaine, 1914, pages 44-45 et Thuillier, in catalogue de l'exposition **Versailles** 1963, page LVII.

41 Rappelons que, sur rapport de Colbert, un arrêt du Conseil, ordonna "à tous les Peintres du Roy, de s'unir à l'Académie", révoquant tous les brevets qui avaient été délivrés auparavant (l'arrêt fut antidaté pour ne pas apparaître comme une riposte à la décision de Mignard et de ses amis).

fig 14 **Atelier des Gobelins**
d'après Pierre Mignard
Le Parnasse
tenture de Saint-Cloud
Paris, Mobilier national

fig 15 **Raphaël**
Le Parnasse (détail)
Vatican,
Chambre de la Signature

cat 16 **Pierre Mignard**
Neptune offre à Colbert l'empire des mers
pierre noire et rehauts de blanc sur papier bis
0,563×0,683 m
Musée du Louvre
Département des arts graphiques
Inv 31 324

bibliographie
Guiffrey, Marcel, Rouchès
t X, 1927, nº 10 089, reproduction.

exposition
Paris 1983, nº 513

Neptune offre les insignes de sa royauté à Colbert, dont Apollon et une figure féminine (la Gloire ?) lui présentent le portrait.

L'intérêt du ministre pour les questions maritimes est bien connu (*cf* par exemple Meyer, 1981, p 260-295 et Taillemite, 1985, p 217-227), et le dessin devrait se placer vers les années 1675-1676 qui, avec les victoires de Duquesne en Méditerranée, virent le triomphe de sa politique navale. Il s'agit certainement d'un projet de gravure pour une thèse. Mais l'estampe, autant que nous le sachions, ne fut jamais réalisée, sans doute parce que le roi n'y aurait été évoqué que de façon subreptice, par le soleil émergeant de l'horizon (tout au contraire, à la Galerie des Glaces, dans le compartiment *Le roi arme sur terre et sur mer,* c'est à Louis XIV lui-même que Neptune présente sa soumission).

Si le portrait de Colbert répète celui qui avait été gravé, dès 1668, par Landry (*fig 16),* la feuille elle-même est plus tardive, à peu près contemporaine de l'*Andromède,* et sa vigueur fait regretter la disparition des dessins préparatoires à ce dernier tableau.

Elle témoigne aussi des rapports qui unissaient Mignard et Colbert. Quelques années plus tard, après que le marquis de Seignelay eut pris la succession de son père au secrétariat d'État à la marine, l'artiste traita à nouveau le même thème (*cf infra* et *fig 22 :* mais c'est au roi, cette fois, que l'hommage de Neptune fut adressé.

puisque tout un passage est directement adressé à Colbert, pour l'adjurer de confier à Mignard les grandes commandes du règne. De plus, le ministre avait été pendant de longues années l'intendant de Mazarin avant de devenir, en 1661, son exécuteur testamentaire : dans ces fonctions il avait certainement apprécié le peintre, qui était un familier du cardinal[42], et qui se vit confier (avec Dufresnoy et Andrea Podesta) l'expertise de sa célèbre collection de tableaux[43]. Un portrait de Colbert par Mignard, étonnamment direct et sans apprêt, fut diffusé en 1668 par une estampe de Pierre Landry *(fig 14)*. Et le ministre, marguillier d'honneur de sa paroisse, signa en personne le marché passé avec l'artiste, en 1666, par la fabrique de Saint-Eustache pour les peintures de la chapelle des fonts de la grande église parisienne. Rien de tout cela ne nous semble porter la marque d'une opposition systématique[44].

En fait, il faut certainement aller au-delà et admettre que parmi "tant de fils que l'universelle activité de Colbert croisait et décroisait, et dont beaucoup nous demeurent cachés"[45], un certain nombre aboutissait aux mains de Mignard et de ses amis. C'est ainsi que l'artiste peignit une nouvelle fois le ministre, en 1680 *(fig 15)*, après avoir dessiné un projet de gravure qui glorifiait sa politique maritime (**cat 16**). Surtout il nous paraît remarquable que les papiers de la Couronne aient gardé la trace de plu-

fig 16 **Pierre Landry**
d'après Mignard
Colbert
1668

fig 17 **Pierre Mignard**
Colbert
1680
Ermitage

42 Indiquons seulement que Mazarin était en rapport avec Mignard bien avant que ce dernier fût rentré d'Italie. Après avoir été, très vraisemblablement, à l'origine de son rappel par le roi, le cardinal joua un rôle central, jusqu'à sa mort, dans la carrière parisienne du peintre.

43 *cf* Cosnac, 1885.

44 A ce sujet, *cf* aussi le catalogue de l'exposition **Colbert**, 1983, pages 355-361.

45 La formule est de Jacques Thuillier (1985, page 285).

cat 17 **Antoine Coysevox**
Colbert
marbre H 0,70 cm
Musée du Louvre
Département des sculptures
Inv MR 2115

historique
acquis en 1802 par Alexandre Lenoir pour le Musée des Monuments français ; à la suppression de ce dernier (1819), transféré au Louvre.

bibliographie
Keller-Dorian 1920, n° 42, p 57-58 ; **Benoist** 1930, p 96 ; **Beyer et Bresc** 1977 ; **Souchal** 1977-1987 t 1, n° 6, p 178.

exposition
Paris 1983, n° 733.

Ce buste est la réplique de celui que l'Académie royale offrit à Colbert en 1677, et qui est conservé au château de Lignières, dans le Cher. Mais il en diffère par quelques détails et on le rapproche généralement de la statue placée sur le tombeau du ministre, sculpté en 1685-1687 par Coysevox et Tuby (Paris, église Saint-Eustache).

L'œuvre est empreinte de retenue, de simplicité, et de gravité. Seules la dentelle qui s'étale, et la croix brodée de l'Ordre du Saint-Esprit, dont Colbert était Grand trésorier, adoucissent son austérité.

sieurs portraits du roi réalisés par Mignard dans les années qui précédèrent immédiatement la création de l'*Andromède*. Deux d'entre eux, notamment, furent payés en 1675 par la Surintendance[46] qui s'employa sur-le-champ à les multiplier par des copies, dont un certain nombre nous sont parvenues *(fig 16* et *17)*. Rien n'était plus contraire à l'arrêt de 1663 qui réservait les commandes royales aux membres de l'Académie : or la décision émanait de Colbert lui-même puisque son inventaire après décès mentionne "Deux petits portraits du Roy à cheval peints sur toille par Mignard"[47] qui sont, selon toute vraisemblance, deux *modelli* qui avaient été soumis à son choix par l'artiste. S'agissait-il d'un champ que Le Brun aurait laissé libre à son rival, dans un genre considéré comme secondaire ? Nous ne le croyons pas car la seule personnalité du modèle suffisait, à l'évidence, à faire de ces œuvres des tableaux majeurs. De fait, ils furent immédiatement célèbres, comptés au nombre des "beaux ouvrages de Monsieur Mignard"[48], et l'un d'eux fut placé dans un endroit prestigieux entre tous : le Grand appartement de Versailles[49]. Parallèlement, ils furent l'occasion d'une polémique qui donna lieu, dans le public, à de grandes discussions. Un poème de l'abbé de Marolles et des notes manuscrites conservées à la Bibliothèque nationale nous renseignent sur ces débats qui portaient sur

46 *cf* Guiffrey, 1881-1901, tome I, col 805. Pour l'identification de ces deux portraits, *cf* Boyer, 1980 [1982], page 143.

47 Nous citons l'inventaire conservé aux archives Condé de Chantilly (Manuscrit 116 E 10, folio 93 verso) ; les deux toiles étaient placées dans la galerie de l'hôtel parisien du ministre.

l'exactitude archéologique des représentations de cavaliers à l'Antique[50]. Le litige fut finalement tranché en 1680 – à l'entier bénéfice de Mignard – par le célèbre écuyer Solleyssel, qui faisait autorité en matière d'équitation et qui avança, pour clore la dispute, des arguments qui renvoient directement à la Querelle des Anciens et des Modernes[51]. On constate en définitive que Colbert, habile politique (**cat 17**), savait ménager à l'adversaire du Premier peintre des compensations extrêmement brillantes. Et que la renommée de Mignard pouvait être claironnée par bien des trompettes.

Dans sa livraison d'avril 1677, le *Mercure Galant,* qui commençait à reparaître après une interruption de plusieurs années, publiait un "Impromptu que (...) Madame le Camus fit il y a quelque temps pour le Portrait du Roy, en presence de plusieurs Dames"[52]. Dans les derniers vers de la pièce, l'auteur s'affirme incapable d'achever la peinture de son incomparable modèle :

"Si j'en conçoy l'idée, elle est inex-
[primable,
Et Mignard ne l'a pas mieux fait."

L'aveu d'impuissance s'exprime ici à travers le topos de l'*ut pictura poesis.* Mignard n'y apparaît qu'allusivement comme une sorte d'archétype du peintre de portraits, sans que soit évoquée aucune œuvre précise. Mais le poème avait aupara-

50 *cf* Marolles, 1675 (édition 1872, page 19) et le manuscrit français 25 351 de la Bibliothèque nationale, déjà cité (folio 34 verso) : ce dernier texte précise que Mignard avait modifié son esquisse après avoir "consulte les Escuyers", et la présence de deux *modelli* dans l'inventaire après décès de Colbert semble bien appuyer cette indication.

51 Pour Solleyssel – qui, dans les éditions précédentes de son *Parfait mareschal,* n'avait cessé de marquer son intérêt pour les représentations des chevaux – la formule mise au point par Mignard "peut servir à jamais de modelle à tous les Peintres" (1680, tome II, page 27).

48 *cf* le manuscrit français 25 351 de la Bibliothèque nationale, intitulé *Des Arts,* folio 35 recto.

49 La présence du tableau dans l'appartement royal est signalée, avec plus ou moins de précision, par Solleyssel (1680, tome II, page 27) et le *Mercure* de décembre 1682 (page 39). Bourdelot (1683, page 21) indique qu'il est placé dans la Salle du Trône.

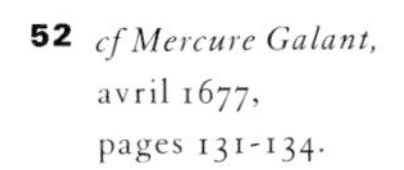

52 *cf Mercure Galant,* avril 1677, pages 131-134.

fig 18 **Atelier de Pierre Mignard**
Louis XIV
1674
localisation actuelle inconnue

fig 19 **Atelier de Pierre Mignard**
Louis XIV devant Maestricht
1674
Turin, Pinacoteca Sabauda

vant circulé en manuscrit : une copie en subsiste[53], qui expose les circonstances de sa composition, entreprise à la demande de quelques amies "qui avoient veue le pourtraict du roy que Mr Mignard a fait". Au lieu de la référence vague, on découvre ainsi un tableau réellement peint : donnée essentielle que la rédaction du *Mercure,* en publiant l'impromptu, a éliminée.

En fait, exception faite des cas (notamment les thèses gravées) où l'importance de leur destinataire l'imposait absolument, la revue de Donneau de Visé semble avoir délibérément évité d'attirer l'attention de ses lecteurs sur des œuvres de Mignard clairement désignées. A cet égard, et sans même parler de personnalités comme Le Brun ou Vandermeulen, la différence de traitement avec d'autres artistes est extrêmement sensible : ainsi le tout jeune Antoine Coypel, né en 1661 et pas encore académicien, se voit consacrer, entre mars et juillet 1680, plusieurs articles qui sont accompagnés de reproductions et dans lesquels on ne manque pas d'annoncer sa création à venir[54]. Rien de tel, loin s'en faut, pour Mignard. Toutefois, étant donné leur qualité et le rang de *Monsieur,* il était difficile de passer sous silence de grands décors comme ceux de Saint-Cloud : ils furent, en effet, mentionnés et même longuement décrits. Mais la chronologie a ici tout son prix : à peine achevée, la galerie d'Apollon fait l'objet d'une brève

53 On la trouve dans le manuscrit 3206 de la bibliothèque Sainte-Geneviève, folio 18 verso.

54 *cf Mercure Galant,* mars 1680, pages 345-346, et *Supplément,* pages 230-238 ; juillet 1680, page 277 (*cf* aussi Nicole Garnier, 1989, p 10-12).

55 *cf Mercure Galant,* octobre 1678, pages 329-331 et 333.

56 *Ibid,* mai 1679, pages 290-292 et 295.

57 *Ibid,* mai 1680, page 299.

58 *Ibid,* juin 1680, pages 131-161.

59 La mort de Mignard – fréquemment mentionné les années précédentes après qu'il eut été nommé, en 1690, Premier peintre du roi et directeur de l'Académie – ne fut même pas annoncée ! La différence de traitement avec Le Brun est ici particulièrement criante.

mention – admirative : il s'agit d'"une des plus belles choses de l'Europe" – dans le numéro d'octobre 1678, à l'occasion du séjour du roi chez son frère**55** : "Je vous en feray une autre fois un Article particulier", ajoute le journaliste ; il est à nouveau question de la "belle et superbe galerie" en mai 1679, à propos d'une visite de l'ambassadeur d'Espagne**56** ; un an plus tard, en mai 1680, la description du "grand ouvrage" est encore remise "jusqu'au mois prochain"**57** ; et c'est seulement dans le numéro de juin qu'elle paraît enfin**58**. Les peintures étaient alors achevées depuis à peu près deux ans. Et les travaux de la galerie des Glaces étaient désormais trop avancés pour que Le Brun pût encore craindre quelque mouvement d'opinion à la Cour, dans le milieu des amateurs, dans les coteries ministérielles, en faveur de son rival. Tout semble donc indiquer que le *Mercure* avait volontairement retardé la parution de son texte jusqu'au moment où son effet dans le public cessait d'être dangereux.

Cachée sous des éloges nombreux et un ton de feinte impartialité, l'hostilité de Donneau de Visé ne désarma pas : elle attendit, pour se montrer à visage découvert, le lendemain de la mort de l'artiste**59**... La revue elle-même suscita des oppositions, dont la plus éclatante – "Le H...G... est immédiatement au-dessous du rien"**60** – fut celle de La Bruyère, protégé

60 *cf* La Bruyère, *Les Caractères,* 1688, chapitre "Des ouvrages de l'esprit" (édition 1926, page 50) ("H...G..." désigne l'Hermès Galant). A propos du *Mercure* de Donneau de Visé, *cf* Monique Vincent, 1987 (notamment pages 278-289).

61 Sur la recommandation de Bossuet, Condé choisit La Bruyère, en 1684, pour être précepteur de son petit-fils.

62 Pour la place faite à Mignard dans les *Caractères, cf infra* et **cat 31**.

EXPLICATION HISTORIQUE, DE CE QV'IL Y A DE PLVS REMARQUABLE DANS LA MAISON ROYALE DE VERSAILLES. ET EN CELLE DE MONSIEVR A SAINT CLOVD.

Par le sieur COMBES.

Se vend à Paris, En l'Imprimerie de C. NEGO, demeurant sur le grand Escalier, Court neuve du Palais.

M. DC. LXXXI. AVEC PRIVILEGE DV ROY.

cat 18 "le sieur Combes" (abbé Laurent Morelet ?)
Explication historique, de ce qu'il y a de plus remarquable dans la maison royale de Versailles. Et en celle de Monsieur à Saint-Cloud.
Paris, imprimerie de B.C. Nego 1681, in-8°, pièces limin., 147-44 p.
Paris, Bibliothèque Nationale Département des imprimés, 8° LK7 10 185.

L'ouvrage est très vraisemblablement dû à l'abbé Laurent Morelet, "Aumosnier de Monsieur", prédicateur et théologien (sur cette personnalité mal connue, *cf* Papillon, 1745, t 2, p 94-95).

Paru au moment où Le Brun était occupé à la Galerie des Glaces, il met côte à côte les travaux déjà réalisés à Versailles et les décors que Mignard avait peints pour *Monsieur* frère du roi, à Saint-Cloud, en 1678. Un certain équilibre était ainsi rétabli, et Mignard marquait un point dans sa lutte pour accéder aux chantiers royaux, dont il était écarté depuis 1663.

A l'époque de l'*Andromède,* sa rivalité avec Le Brun avait pris un tour aigu. Les moyens employés de part et d'autre donnent à la querelle une allure très "moderne" : campagnes d'opinion, groupes de pression, Versailles comme enjeu.

de Condé[61] et admirateur de Mignard[62]. Mais comme le *Mercure* n'avait pas de concurrent, il fallait bien que le peintre, pour défendre sa gloire, choisisse un autre terrain, trouve d'autres armes. Au mois d'avril 1681 paraissait à Paris, sous le nom du "sieur Combes", une *Explication historique de ce qu'il y a de plus remarquable dans la maison royale de Versailles. Et en celle de Monsieur à Saint-Cloud* (**cat 18**). L'ouvrage se divise en deux parties inégales et paginées séparément. La première est la plus longue et est dédiée à Versailles : elle décrit l'appartement du roi, celui de la reine et les jardins, mais la galerie des Glaces – alors en cours de réalisation – n'y est pas évoquée ni aucun artiste nommé. La seconde est consacrée à la galerie d'Apollon et au Salon de Mars, peints à Saint-Cloud par Mignard, "un des beaux génies que nous ayons"[63]. Or on peut remarquer que le livre, au départ, avait été présenté comme une description touchant uniquement Versailles : il comporte en effet deux "approbations", datées respectivement du 30 octobre et du 2 novembre 1680, qui sont signées des peintres Coypel et Paillet et des sculpteurs Regnaudin et Coysevox, et qui certifient l'exactitude des seuls passages concernant la demeure royale[64]. C'est donc dans un second temps que le texte portant sur le château de *Monsieur* fut ajouté, et le titre du recueil complété[65]. Du même coup, l'œuvre de Mignard se trouvait mise en évidence. A

63 *cf* Combes, 1681, 2e partie, page 2.

64 "Nous sous-signez Peintres du Roy, certifions avoir leu & examiné un Livre intitulé, Explication Historique de ce qu'il y a de plus remarquable dans la Maison Royale de Versailles, dans lequel nous n'avons rien trouvé qui ne soit conforme aux Peintures". De leur côté, Regnaudin et Coysevox certifient que le livre ne contient "rien qui ne soit conforme aux sujets de Sculpture representez à Versailles".

65 L'adjonction était délibérée, puisque le titre figure au complet dans le privilège, daté du 7 novembre 1680.

66 *cf* Morelet, 1681.

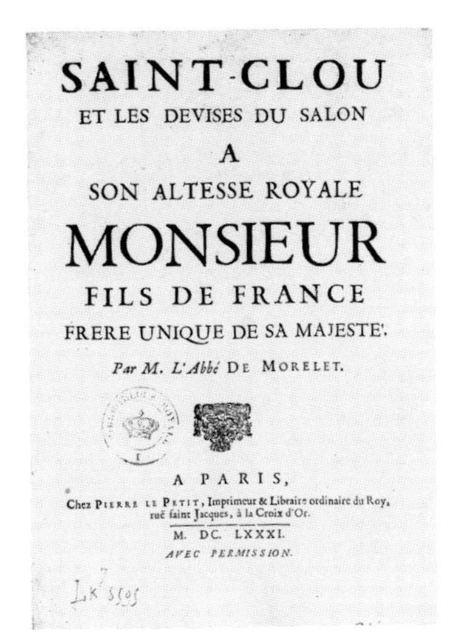

SAINT-CLOU
ET LES DEVISES DU SALON
A
SON ALTESSE ROYALE
MONSIEUR
FILS DE FRANCE
FRERE UNIQUE DE SA MAJESTE'.
Par M. L'Abbé DE MORELET.

A PARIS,
Chez PIERRE LE PETIT, Imprimeur & Libraire ordinaire du Roy, ruë saint Jacques, à la Croix d'Or.
M. DC. LXXXI.
AVEC PERMISSION.

elle seule elle équilibrait les réalisations de l'équipe d'artistes qui avaient travaillé aux appartements versaillais.

Il est probable que le nom de Combes dissimulait l'identité de l'aumônier du frère du roi, l'abbé Laurent Morelet. Au même moment, en effet, ce dernier publiait, à propos des devises inscrites dans le Salon de Mars, un fascicule explicatif d'une vingtaine de pages, dont le permis d'imprimer, daté du 23 avril 1681, est signé du lieutenant de police La Reynie[66]. L'année suivante, une autre de ses brochures (**cat 19**) – elle aussi autorisée par La Reynie – visait à dévoiler les "symboles", les "mystères secrets" des peintures de la galerie d'Apollon, et un grand éloge de Mignard trouvait place dans cette herméneutique. Ces petits textes de quelques feuillets sont rarissimes, notamment le second, dont nous ne connaissons qu'un seul exemplaire qui paraît avoir échappé à toutes les bibliographies. Il ne porte que sur une partie du décor de la galerie : mais tout laisse supposer qu'il fut suivi, en réalité, de quelques autres, que Morelet finit par réunir en volume en 1686 puis en 1695[67]. Il semble bien, en fin de compte, qu'on ait eu là un ensemble de "feuilles volantes" – production fragile et de conservation aléatoire – qui se succédèrent pour fixer l'attention du public sur les créations de Mignard, et lui en apporter le commentaire savant. On notera de surcroît que de tels imprimés,

cat 19 Abbé Laurent Morelet
La gallerie de S. Clou et ses peintures expliquées Sur le sujet de l'éducation des Princes. A Son Altesse Royale Monsieur.
Paris, Pierre Le Petit 1682, p 23, 8°
Paris, Bibliothèque de la Sorbonne
don Duplessis, 1900.

L'existence de ce texte semble avoir échappé à tous les chercheurs. Nous n'en connaissons qu'un seul exemplaire, qui fut recueilli par Georges Duplessis puis donné par sa veuve à l'Université de Paris. Il porte un permis d'imprimer signé de La Reynie, et il est probable qu'il fut suivi de plusieurs autres, avant que l'ensemble soit réuni en volume en 1686.

Cette succession de brochures gardait les yeux du public tournés vers Mignard et ses créations récentes. Une quinzaine d'années auparavant, Molière avait célébré sa fresque du Val-de-Grâce comme une "école de peinture". La visée de Morelet est plus philosophique : il voit renaître dans la galerie de Saint-Cloud "la gloire du Portique d'Athenes la Sçavante", et tâche d'expliquer les "grandes maximes", les "ingenieuses leçons de morale" qui se cachent "sous les voiles de tant de belles Peintures".

67 *La Gallerie de S. Clou (...)* (**cat 19**), est reprise dans le *Traité de Morale pour l'Education des Princes, tiré des Peintures de la Gallerie de Saint-Cloud,* paru chez Nego en 1686 : l'ouvrage a été complété et la description couvre maintenant l'ensemble du décor. Enfin, en 1695, les deux *Explications* (de Versailles et de Saint-Cloud), le *Traité* et la brochure sur les devises (légèrement actualisée) furent rassemblés en un volume unique, édité à Paris chez François Pralard fils.

cat 20 **Pierre Mignard**
Portrait de Gabriel de La Reynie
huile sur toile
ovale
0,74×0,61 m
collection particulière

historique
le portrait fut peint avant 1665, date à laquelle il fut gravé par Van Schuppen (*fig 20*).

bibliographie
Monville 1730, p 101 ;
Fillon 1861, p 68-73 ;
Rouillé 1979, n° 66, p 96-97 (pour la gravure).

exposition
Paris 1878
(*cf* Jouin, 1879, n° 201).

Au début de sa carrière parisienne, Mignard s'était lié avec La Reynie qui était alors l'intendant du duc d'Epernon (le décor de l'hôtel d'Epernon fut une des premières grandes réalisations du peintre, après son retour d'Italie). Leur amitié ne devait plus cesser.

Maître des requêtes (1661), puis conseiller d'Etat (1680), La Reynie est resté célèbre pour avoir été, à partir de 1667, le premier lieutenant général de police. Ses pouvoirs étaient très étendus. Parmi eux la surveillance de l'imprimerie : l'édition de brochures célébrant les réalisations de Mignard ne pouvait manquer d'avoir son autorisation.

Mignard a rendu admirablement l'intelligence, la confiance en soi du grand commis. Traitée avec une extrême économie de moyens – il s'agit presque d'un camaïeu – la sobriété de l'œuvre rejoint l'austérité des fonctions exercées par le modèle.

fig 20 **Van Schuppen**
(d'après Pierre Mignard)
La Reynie 1665

fig 22 **Charles Le Brun**
Fouquet
Château de Vaux-le-Vicomte

contrairement aux livres proprement dits, pouvaient être édités sans *privilège* mais avec une simple permission du lieutenant de police[68] : or, Nicolas de La Reynie (**cat 20**) était, depuis les années 1660, lié à Pierre Mignard d'une amitié forte et durable, qui devait le conduire, plus tard, à assister l'artiste dans sa dernière maladie, en 1695.

Le grand décor, par son ampleur, par son recours presque obligé à l'allégorie, appelait d'une certaine façon, pour sa célébration ou son exégèse, cette littérature d'accompagnement. Mais d'un autre côté l'entrée d'un tableau dans une collection prestigieuse avait elle aussi un retentissement, qui pouvait être soigneusement orchestré. Par exemple, dans les années 1650, Le Brun décora la voûte de la galerie de l'Hôtel Lambert, dans l'île Saint-Louis, d'un cycle de fresques représentant les exploits d'Hercule *(fig 18)* : parmi ceux-ci la délivrance d'Hésione. On retrouve ce sujet dans une toile que le peintre réalisa parallèlement (**cat 00**). Dans le même temps, il peignit le portrait de son protecteur Fouquet[69] *(fig 19)* : on reconnaît à l'arrière-plan, avec quelques variantes, un détail de la peinture d'*Hercule délivrant Hésione,* soigneusement figurée avec un cadre sculpté et doré *(fig 20)*. Il nous paraît vraisemblable, en conséquence, qu'un exemplaire de la composition était destiné au Surintendant des finances : c'est sa pré-

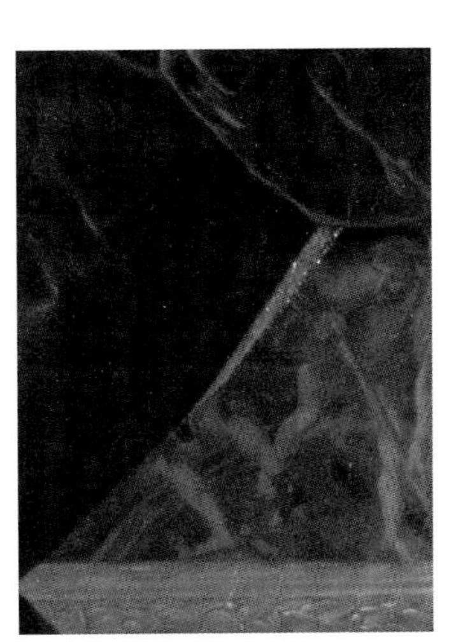

68 A ce sujet, *cf* notamment Martin, 1969, page 690 et Roche, 1984, page 78.

69 Conservée aujourd'hui au château de Vaux-le-Vicomte, la toile (1,30 × 0,98) est apparue à la vente Despinoy de 1850 (n° 744) sous le nom de Le Brun et a figuré à plusieurs enchères avec des attributions diverses. Gilles Rousselet la grava, en 1659. L'estampe ne porte pas de nom de peintre, mais Mariette, dans ses *Notes* manuscrites, rend la composition à Le Brun : la présence, à l'arrière-plan, de l'*Hercule et Hésione* nous paraît confirmer pleinement cette attribution.

fig 21 **Charles Le Brun**
La galerie d'Hercule à l'Hôtel Lambert
Paris

fig 23 **Charles Le Brun**
Fouquet (détail)
(le tableau à l'arrière-plan)

tableau en cours de nettoyage

cat 21 Pierre Mignard
Louis XIV
huile sur toile
1,68×1,37 m
Paris, collection particulière

historique
acquis en vente publique à Versailles, Hôtel des chevau-légers, 21 juillet 1971, n° 207 comme école française XVIIe siècle

La toile s'inscrit dans la suite de portraits du roi qu'inaugurèrent, en 1674, les deux figures à l'Antique, l'une en pied et l'autre équestre, qui furent payées par la Surintendance des Bâtiments. Si ces deux tableaux (*fig 16 et 17*) ne sont plus connus que par des répliques d'atelier, les comptes royaux, les documents et les gravures révèlent plusieurs autres portraits qui s'échelonnèrent au fil des années : grâce à Colbert, c'est tout un groupe d'œuvres de premier plan que Mignard réalisait ainsi.

Nous n'avons pu identifier la ville – sans doute quelque place-forte des Flandres – qui apparaît à l'arrière-plan (*fig 24*). Louis XIV est représenté dans ses habits de guerre, figurés avec exactitude et précision, et l'Antique n'est plus évoqué que par quelques accessoires : ceux-ci trouvent mal leur place dans l'économie du tableau, et le casque, la colonne, ou la guirlande sculptée sur un bloc de pierre sont réduits à n'être plus que des signes arbitraires. Sur ce point l'œuvre se distingue des peintures de 1674. Elle marque un jalon dans l'évolution qui mène aux portraits du roi peints par Mignard à la fin de sa vie, dans lesquels le souci de la fidélité documentaire dominera de façon encore plus exclusive (à ce propos, *cf* Boyer, 1985).

Le tableau devrait se placer vers 1680, et être à peu près contemporain de l'*Andromède*.

fig 24 **Pierre Mignard**
Louis XIV
détail

sence dans le cabinet du fastueux Fouquet que Le Brun tenait à rappeler.

Le cas de l'*Andromède,* avec le bruit fait par son entrée dans la collection de Chantilly, n'est donc pas isolé. Mais on constate en outre que Mignard, autour de 1680, fit jouer à certains tableaux un rôle particulier. Ainsi, le 24 juin 1681, un correspondant adressait à Condé, depuis Versailles, une lettre très révélatrice :

"Mignard a fait paroistre icy un tableau qu'il a fait de la Samaritaine lorsque notre Seigneur luy parla, quy est admiré generallement. Cet Mademoiselle de Guyse quy la fait faire moyennant 3 cens pistolles. Le Roy la trouvé sy beau quil n'a pu s'empescher de tesmoigner quil leut bien voulu avoir. Cela a mis les choses en train que je croy qu'on luy en fera present. Quand la Cour sera partie Mignard peindra l'apartement de la Reyne[70]."

L'essentiel est dévoilé en ces quelques lignes : le haut prix de la peinture et la galerie aristocratique à laquelle elle est destinée, son transport de Paris à Versailles, son exposition publique et sa présentation au roi, la réaction du monarque et ses suites prévisibles. L'épisode, provisoirement, fut sans lendemain : la *Samaritaine (fig 21)* fut célèbre mais n'entra pas dans les collections de la Couronne[71], Mignard ne travailla pas dans l'appartement de la reine. Mais il permet de découvrir, par-delà le rideau des apparences, le but réellement

70 Chantilly, archives Condé, *Lettres* du Grand Condé, tome LXXX, folio 169 verso (*cf* aussi Macon, 1900, page 220).

71 Pour ce tableau, nous renvoyons au catalogue de l'exposition *La Peinture française du XVII*e *siècle dans les collections américaines,* Paris, New York, Chicago, 1982, nº 70.

fig 25 **Pierre Mignard**
La Samaritaine
1681
Raleigh, North Carolina Museum of Art

cat 22 Pierre Mignard
Les Plaisirs des Jardins
huile sur toile
0,585×0,567 m
Montpellier, Musée Atger

historique
don du peintre Bestieu, avant 1830.

bibliographie
Notice... 1830,
n° 308, p 93 ;
Saunier 1922, p 169.

visé par le peintre : Louis XIV (**cat 21**) et Versailles.

L'objectif de Mignard était, en effet, d'accéder aux chantiers royaux dont il était écarté depuis 1663. Il aspirait à y jouer un rôle à la mesure de sa gloire. A partir du tournant des années 1670, ses efforts s'étaient faits plus pressants, leur succès de plus en plus net. Ses portraits du roi – qui lui donnaient un accès direct au souverain – étaient admirés. Dans le domaine du grand décor, Saint-Cloud (**cat 22** à **27**) était pour Versailles (**cat 28**) un précédent qui pouvait devenir un modèle (une sorte de "campagne de presse" servait à le rappeler). Ses tableaux enfin étaient recherchés par les grands collectionneurs, dont l'empressement manifestait au regard de tous l'importance qu'on accordait à son génie. Sa réussite pouvait sembler inéluctable : ce fut au contraire, dans un premier temps, la grande et célèbre querelle qui, en 1682, l'opposa ouvertement – avec une extrême brutalité – à Charles Le Brun[72]. Mais après cette crise, et dès le lendemain de la mort de Colbert, Mignard, à Versailles, remplaça *de facto* (**cat 29**) le Premier peintre du roi (**cat 30**), avant de lui succéder *de jure* en 1690 (**cat 31** et **32**).

cat 23 **Pierre Mignard**
La Jalousie et la Discorde
huile sur toile
0,391×0,565 m
Montpellier, Musée Atger

historique
don du peintre Bestieu avant 1830.

bibliographie
Notice... 1830, n° 309, p 93 ;
Saunier 1922, p 169.

Ces deux esquisses – dont on doit, malheureusement, déplorer le mauvais état – préparent des voussures du plafond du Salon de Mars du château de Saint-Cloud. Les compositions définitives sont connues par des gravures (*cf* **cat 24** et **25**)

Fraîches de ton et prestement enlevées, elles laissent percer la jubilation du créateur.

72 L'histoire de la Querelle a été retracée, avec beaucoup d'exactitude, par André Fontaine, 1914, pages 160-187. A l'origine de son déclenchement, un article paru dans les *Nouvelles extraordinaires de divers endroits*, publiées à Leyde, qui a été découvert et étudié par Raymond Picard (1962).

cat 24 **Benoît Audran** d'après
Pierre Mignard
Les Plaisirs des Jardins
cuivre 0,205×0,55 m
Musée du Louvre
Département des arts graphiques
Chalcographie (*cat* 1954, n° 1181)

cat 25 **Jean Audran** d'après
Pierre Mignard
La Jalousie et la Discorde
cuivre 0,255×0,56 m
Musée du Louvre
Département des arts graphiques
Chalcographie (*cat* 1954, n° 1180)

Gravées au burin et à l'eau-forte, ces deux planches de cuivre reproduisent deux peintures du Salon de Mars, dont les esquisses sont aussi conservées (voir ci-dessus les n° 22 et 23).

cat 26 **Jean-Baptiste de Poilly** d'après **Pierre Mignard**
Cariatides
Paris, Bibliothèque Nationale
Département des estampes, Ed. 85

Ces deux figures forment l'un des "Huit differens groupes de figures feintes de stuc, peints dans les angles du plat-fonds, pour servir en quelque façon de bordure aux tableaux" (*cf* Monville, 1730, p LIII-LIV), qui furent gravés par J-B de Poilly d'après le décor du Salon de Mars.

cat 27 atelier de Pierre Mignard
Le Printemps
0,474×0,683 m

L'Été
0,479×0,685 m

L'Automne
0,475×0,683 m

L'Hiver
0,480×0,690 m

Musée du Louvre
Département des arts graphiques
Inv 31.026, 31.023, 31.024, 31.025.

bibliographie

Schnapper 1978, p 71 ;
Boyer 1980 [1982], n° 34, p 143.

exposition

Paris, 1977-1978, n° 284 et 285
(pour le *Printemps* et l'*Hiver*)

De technique uniforme (pierre noire, lavis brun et rehauts de blanc), ces quatre dessins reproduisent des compartiments de la Galerie d'Apollon. Soigneusement finis, ils étaient destinés à Jean-Baptiste de Poilly qui les grava.

A côté des tapisseries, des esquisses peintes et de quelques dessins préparatoires, plusieurs gravures nous donnent une idée – malheureusement partielle – des compositions peintes par Mignard à Saint-Cloud, et du système décoratif dans lequel elles s'inséraient. La reproduction de ces ensembles célèbres était une grande entreprise, qui s'étala sur plusieurs années, et occupa plusieurs graveurs : Benoît Audran (1661-1721), Jean Audran (1667-1756), et Jean-Baptiste de Poilly (1669-1728). La lettre des estampes permet d'en reconstituer la progression.

Les devises, les *ignudi,* et les cariatides du Salon de Mars furent d'abord gravées par Jean-Baptiste de Poilly : le peintre est alors simplement désigné par son nom, "P. Mignard" (il en va de même du dessus-de-porte représentant un sacrifice à Priape, gravé par Benoist Audran ; *cf* n° 24). Jean-Baptiste de Poilly reproduisit ensuite, en trois planches, les *Amours de Mars et Vénus* qui garnissaient le plafond du même Salon : la lettre indique "Petr. Mignard Eques", ce qui place la réalisation des estampes après 1687, date de l'anoblissement du peintre. Vers le même moment devrait se placer la gravure de Jean Audran d'après le dessus-de-porte de *La Jalousie et la Discorde* (*cf* **cat 25**), dans laquelle Mignard est désigné comme écuyer et – par référence à ses travaux versaillais – peintre ordinaire du roi. Enfin les *Quatre Saisons* de la Galerie d'Apollon furent gravées par Jean-Baptiste de Poilly après que Mignard fut devenu, en 1690, "Ier Peintre du Roy".

Mignard avait donc fait appel à la jeune génération, née dans les années 1660, de deux dynasties de graveurs (celle des Audran et celle des Poilly) : il s'agissait de populariser ses grandes réalisations, et de rappeler qu'elles avaient précédé les travaux de Le Brun à la Galerie des Glaces.

cat 28 **Jean-Baptiste Massé** 1687-1767
d'après **Le Brun**
Peintures de la Galerie de Versailles et des deux Salons qui l'accompagnent, gravées d'après les dessins de Massé en 55 planches par les plus habiles graveurs du temps
Paris in-fol. 1752.
Versailles, Musée national du château

bibliographie
Mémoires inédits 1854, t 1, p 41 ;
Grouchy 1892 (1) ;
Grivel 1985, p 45.

En 1688, Charles Simonneau entreprit de graver les peintures de la Galerie des Glaces (le marché passé avec Louvois date du 20 mars). Mais la tentative tourna court, et en 1693 Guillet de Saint-Georges signalait qu'un seul compartiment avait été gravé. C'est seulement au XVIIIe siècle que l'immense décor fut systématiquement et intégralement reproduit par l'estampe.

cat 29 **Girard Audran**
Lyon 1640-Paris 1703
d'après **Pierre Mignard**
Tableaux de la Voute de la galerie du petit Apartement du Roy a Versailles, peints par P. Mignard
(en trois planches).
Paris, Bibliothèque Nationale
Département des Estampes AA 5

bibliographie

Le Comte 1702,
t 1, p 210-211 ;
Monville 1730, p LIII ;
Guiffrey 1881-1901,
t 2, colonne 1015 et
t 3, colonnes 109 et 296 ;
Grouchy 1892 (2) ;
Courboin 1923-1926,
t 2, p 8 et pl 498 ;
Weigert 1939, nº 91 ;
Grivel 1985, p 43 et 45.

A peine achevée, et avant même que Mignard eut succédé à Le Brun comme Premier peintre, la Petite Galerie fut gravée pour la somptueuse publication officielle du *Cabinet du Roi* (le marché fut conclu par Audran et Louvois le 17 juin 1686, et le paiement final se place en janvier 1689).

cat 30 **Nicolas de Largillierre**
Paris 1656-1746
Portrait de Charles Le Brun
huile sur toile
2,32×1,87 m
Musée du Louvre
Département des peintures
Inv 5661

historique
morceau de réception de Largillierre à l'Académie royale, en 1686 ; entré au Louvre à la Révolution.

bibliographie
cf le catalogue de l'exposition de **Montréal,** 1981 [1982] ;
Lastic 1983, p 75 ;
Schnapper 1983, p 116-117.

exposition
Montréal 1981 n° 32

Le 6 mars 1683, l'Académie commandait à Largillierre, comme morceau de réception, ce portrait de Le Brun, "luy laissant la grandeur du tableau à sa volonté". De dimensions inaccoutumées, l'œuvre est conçue comme un "tableau historique" (la formule fut employée par Guillet de Saint-Georges, dans son Mémoire sur Le Brun lu à l'Académie en 1693 ; *cf Mémoires inédits,* t 1, p 48) : tel un héros des arts, le Premier peintre désigne ses œuvres qui s'accumulent en trophée.

fig 26 **Pierre Mignard**
Autoportrait
détail des livres
(Horace et La Bruyère)

cat 31 Pierre Mignard
Autoportrait
huile sur toile
2,35×1,88 m
Musée du Louvre
Département des peintures
Inv 6653

historique
peint en 1690 ; donné à l'Académie royale de peinture et de sculpture par Catherine Mignard, fille de l'artiste, le 28 septembre 1696 ; entré au Louvre à la Révolution.

bibliographie
Procès-verbaux... t 5 p 196-197 ;
Monville 1730, p LXXII ;
Guérin 1715
(*cf* Montaiglon 1893, p 69-70 et 90) ;
Dézallier d'Argenville 1781
(*cf* Montaiglon, 1893, p 142) ;
Lejeune 1864, t 1, p 166 ;
Lagrange 1865, p 569 ;
Le Brun-Dalbanne 1878, p 120-121 et n° 285, p 277 ;
Fontaine 1908, p 17 ;
Fontaine 1910, p X, 39, 58, 183 ;
Hourticq 1921 ;
Marcel et Terrasse 1929, p 70-72 ;
Montagu 1969, p 97 ;
Souchal 1977-1987, t 2, p 222 ;
Rosenfeld 1981, p 186 ;
dans le catalogue de l'exposition de **Montréal** 1983
Boyer 1980 [1982]
p 142, n° 30, p 159, n° 216-217 et fig 12.

exposition
Paris 1947, n° 350 ;
Troyes 1955, n° 2 ;
Paris 1960, n° 529 et pl LXXXI ;
Lille 1968, n° 11 ;
Paris 1978 (sans catalogue).

Reprenant la formule du *Portrait de Le Brun* peint, quelques années plus tôt, par Largillierre (**cat 30**), Mignard met en scène sa création sous tous ses aspects.

A côté de la peinture et du dessin, son activité de graveur est rappelée par la plaque de cuivre qui s'appuie, à gauche, sur le buste. A l'arrière-plan, le rideau entrouvert dévoile la copie de la fresque du Val-de-Grâce, que Mignard demanda à Michel Corneille pour l'offrir à l'Académie en 1690. L'architecture est représentée par le compas et par le dessin d'une "colonne historique" projetée pour le terre-plein du Pont-Neuf. A côté du buste de Catherine Mignard, la tête du *Laocoon* et les deux figures de cire de la *Fidélité* et de la *Fourberie,* modelées par Mignard lui-même, soulignent que l'artiste avait, depuis 1683, la direction des travaux de sculpture de Versailles. Enfin les livres entassés sur la table indiquent ses liens avec les lettrés : l'Horace évoque sans doute le grand traité de Dufresnoy et les *Caractères,* surtout, bien en évidence, rappellent que La Bruyère venait de mettre Mignard à une place éminente, au tout premier rang des peintres *(fig 26).*

Dimensions, composition, attitude du modèle, choix des accessoires : l'*Autoportrait* est une réplique, pour ainsi dire terme à terme, au tableau de Largillierre. Mignard met l'accent sur la diversité de ses dons. Il fait une large place aux travaux qu'il a dirigés pour le roi dès avant sa nomination comme Premier peintre. Son application au travail, son regard fixé droit sur le spectateur, attestent sa détermination pour son œuvre future.

cat 32 **Hyacinthe Rigaud**
Perpignan 1659-Paris 1743
Charles Le Brun et Pierre Mignard
huile sur toile
1,30×1,40 m
Musée du Louvre
Département des peintures
Inv 7508

historique
peint en 1730 pour le fermier général François de Castagnier, le tableau passe à la marquise de Poulpry, fille de ce dernier, et est saisi à la Révolution.

bibliographie
Fontaine 1908, p 16 ;
Furcy-Raynaud 1913, p 54-56 ;
Roman 1919, p 206.

Ce dessus-de-porte faisait pendant à un autre double portrait montrant Rigaud en train de peindre M. de Castagnier. Il fut réalisé plusieurs décennies après la disparition des deux modèles, à un moment où la parution de la biographie de l'abbé de Monville ramenait l'attention sur Mignard.

Rigaud reprend ici, presque sans changement (seule la main se dresse dans un geste plein d'autorité), le portrait de Mignard qu'il avait peint en 1691 pour l'Académie et qui est aujourd'hui au musée du château de Versailles.
Quant à Le Brun, on aperçoit sur le chevalet une ébauche, inversée par rapport à l'original du Louvre, de sa *Sainte Famille avec le sommeil de l'Enfant Jésus.*

Vus de dessous, placés derrière une balustrade de pierre et devant une paroi dont la nudité est à peine rompue par les pilastres, les deux hommes semblent installés dans quelque tribune pour être offerts à la vénération du spectateur. Le bouillonnement des étoffes, quelques accessoires splendidement détaillés et qui encombrent arbitrairement l'espace, rappellent ce que fut leur grandeur.

Si Rigaud semble avoir eu avec Mignard d'excellents rapports (il était assez fidèle à sa mémoire pour exposer son portrait au Salon de 1704), cette double célébration aurait été impensable du vivant des deux artistes rivaux. Mais en 1730 la réunion des deux Premiers peintres – il n'y en eut pas d'autre sous le gouvernement personnel de Louis XIV – rappelait avant tout les splendeurs du règne précédent : Titon du Tillet admet côte à côte Mignard et Le Brun, à la suite de Poussin, dans son *Parnasse français* (1732).

Les grands tableaux à sujet mythologique ou antique sont remarquablement rares dans son œuvre. Les documents n'en signalent qu'un tout petit nombre, et quelques-uns seulement (**cat 33**), tels l'*Andromède,* nous sont parvenus. Mais ils semblent avoir eu à ses yeux une importance particulière. Ainsi pour la *Famille de Darius (fig 3),* destinée à Louvois et peinte en 1689, Monville rapporte que l'artiste organisa une sorte d'exposition qui amena dans sa maison, pendant deux mois, les amateurs et la Cour. Auparavant, il avait fait porter les dessins préparatoires chez Madame de La Fayette, à qui il "envoyoit d'ordinaire ou les ouvrages qu'il venoit de finir, ou les premieres idées de ceux qu'il commençoit"[73]. C'est aussi chez cette dernière, à peu près à la même époque, que furent exposés, à peine terminés, les deux "grands tableaux" en pendant du *Pan et Syrinx* et de l'*Apollon et Daphné* qui avaient été commandés à Mignard par le roi d'Espagne[74]. Depuis les esquisses jusqu'à la présentation au public des peintures achevées, l'auteur de *Zaïde* et de la *Princesse de Clèves* pouvait suivre la genèse d'œuvres que leur destination rendait exceptionnellement prestigieuses.

Avec Madame de La Fayette, comme avec La Rochefoucauld, dont il peignit le portrait (**cat 34**), Mignard ne quittait pas le cercle du Grand Condé. Mais l'importance qu'il attachait au jugement de ce milieu

73 *cf* Monville, 1730, pages 145-147.

74 *Ibid,* pages 171-172.

fig 27 **Pierre Mignard**
La Famille de Darius
1689
Ermitage

cat 33 **Pierre Mignard**
La Mort de Cléopâtre
huile sur toile
0,99×1,33 m
Angleterre
collection particulière

historique
La toile apparaît dans un inventaire de 1760 sous le nom du Dominiquin ; elle avait été acquise peu auparavant à Paris ou à Rome, et est restée depuis lors aux mains de la même famille.

Considéré jusqu'ici comme une œuvre du Dominiquin, ce tableau inédit revient à coup sûr à Pierre Mignard.

Les renseignements à son sujet font à peu près défaut (si quelques *Cléopâtre* sont données à Mignard par les sources documentaires, elles sont mentionnées de façon trop vague pour qu'on puisse les identifier). Tout au plus son format caractéristique – *tela d'imperatore* – désigne-t-il une création romaine.

Nous voudrions, toutefois, aller plus loin et formuler quelques hypothèses. Nous pensons qu'il faut sans doute considérer la *Mort de Cléopâtre* comme une des premières réussites de Mignard, réalisée peu de temps après son installation, en 1635, dans l'*Urbe* : œuvre clé, comme l'*Andromède,* mais placée sur l'autre versant de la carrière et née de circonstances toutes différentes.

Le tableau frappe par son ambition. Quelques années auparavant, Poussin avait traité le thème du lit funéraire et du trépas héroïque. Peinte en 1627 pour les Barberini, sa *Mort de Germanicus (fig 28)* était célèbre et Félibien devait plus tard la commenter (1685-1688, t 2, p 35-36), insistant notamment sur la diversité des expressions. "Il faut mettre de la différence dans les actions des figures selon les divers sujets" : on constate que, sur ce point capital, l'analyse s'applique sans difficulté au tableau de Mignard. Et de même que Poussin a représenté Agrippine la tête cachée sous un mouchoir parce qu'il ne pouvait "mieux exprimer une douleur excessive, qu'en couvrant le visage de cette princesse", Mignard place au pied du lit d'agonie la figure de Charmion, allongée sans connaissance et voilée.

Ainsi la *Mort de Cléopâtre* est comme un écho direct du *Germanicus.* Jamais Mignard n'a été plus près de Poussin. Au contraire il renchérit sur lui dans le souci de précision archéologique (la scène se passe dans le sépulcre d'Antoine) et la subtilité de la composition (au lieu de la disposition en frise, un espace complexe, soigneusement organisé autour des groupes de figures qui se répartissent selon ses différents plans). Il faut sans doute voir dans sa toile le coup d'éclat d'un jeune créateur sûr de lui, soucieux de s'imposer, et prêt à rivaliser avec ce que la peinture européenne offrait alors de plus novateur.

fig 28 **Poussin**
La mort de Germanicus
Minneapolis, Institute of Arts

aristocratique et lettré, la quête de son approbation, nous paraissent d'autant plus remarquables qu'elles s'accompagnent parallèlement d'une grande indépendance. Nulle trace, dans les rapports du peintre avec ce groupe, d'un lien de protection ou de clientèle. Les œuvres que Madame de La Fayette est appelée à admirer ne sont pas destinées à son propre cabinet et n'ont pas été ordonnées par elle. Quant au *Persée et Andromède,* le document des archives de Chantilly le désigne comme un "present" – d'ailleurs somptueusement récompensé – fait par l'artiste au prince du sang (qu'il y ait eu ou non, en réalité, une demande préalable importe peu : on a fait le choix, en fin de compte, de présenter l'opération comme un don volontairement consenti). Ainsi, dans tous les cas, la création des tableaux se trouve dissociée de leur commande. Et Mignard peut engager avec un écrivain ou un grand seigneur un dialogue libéré de toute sujétion : le débat est alors d'ordre artistique, il porte simplement sur la réalisation des œuvres, sur la perfection de leur mise au point.

Cette liberté de conception et d'élaboration trouvait ailleurs son équivalent. Ainsi, en 1684 Mignard peignit pour le marquis de Seignelay, fils aîné de Colbert qui venait de disparaître l'année précédente, un *Portement de croix* (**cat 35**) qui fut immédiatement cédé à la collection royale.

cat 34 Pierre Mignard
Portrait de La Rochefoucauld
0,46×0,36 m
huile sur toile
collection particulière

Ce portrait de l'auteur des *Maximes* – François VI, duc de La Rochefoucauld (Paris, 1613-1680) – n'apparaît pas à son inventaire après décès, dressé le 18 mars 1680 (inédit ; Minutier central, XCII, 229) ; et n'est pas signalé par les sources. Mais le cordon bleu et l'armure permettent de placer l'œuvre après 1662 (date de la promotion du duc à l'ordre du Saint-Esprit) et peut-être, plus précisément, en 1667, année où La Rochefoucauld, après une longue interruption, reprit du service et combattit au siège de Lille.

La première édition des *Maximes* était parue en 1664 mais rien, ici, n'évoque l'écrivain : l'effigie est celle d'un grand féodal. Cependant le format réduit donne à la toile un caractère familier. Et les traits vieillissants du moraliste, son air désabusé, contrastent avec les signes des honneurs nobiliaires et de l'activité guerrière. Grâce à sa sympathie pour son modèle, Mignard donne ainsi comme l'emblème d'une noblesse lasse de ses échecs et revenue de ses illusions : "Songez, je vous prie, que voilà quasi toute la Fronde morte", écrira Madame de Sévigné au décès de La Rochefoucauld.

Intimement lié à Madame de La Fayette, le duc était aussi un proche du Grand Condé. En outre le manuscrit NAF 4333 de la Bibliothèque Nationale ("Recueil de choses diverses") montre que, dans les années 1670, les problèmes artistiques intéressaient vivement son entourage (à ce sujet *cf* Lesaulnier, 1984, p 190-200 et Boyer, 1986, nº 42, p 262).
De fait, l'*Andromède* semble traduire les opinions du milieu dont La Rochefoucauld était une figure éminente : il n'est pas exclu que le grand seigneur ait pris une part personnelle à la mise au point de l'iconographie du tableau, qui reflète ses conceptions de l'idéal aristocratique.

cat 35 **Pierre Mignard**
Le Portement de croix
huile sur toile
1,50×1,98 m
Sdbc
P. Mignard Pinxit Parisiis 1684
Aetats Suae 73
Musée du Louvre
Département des peintures
Inv 6637

historique

le tableau fut peint pour le marquis de Seignelay, qui le céda au roi dès le mois de juin 1684.
Il entra au Louvre à la Révolution.

bibliographie

Le Maire 1685, t 3, p 268-269 ;
Mercure Galant
septembre 1685, p 49-51 ;
Anonyme vers 1685-1689
(in *Mémoires inédits,*
t 1, 1854, p 65-66 ;
Tessin 1687, (*cf* Sirén, 1914, p 101) ;
Francastel 1926, p 283 ;
expo. Paris, 1985, p 114) ;
Le Comte 1702, t 3, p 145 ;
Félibien 1703, p 65 et 334-336 ;
Monville 1730, p 122 et 136-137 ;
Lépicié 1743 (éd 1854, p 94) ;
Dezallier 1745-1752, t 2, p 281 ;
Antonini 1749, p 234 ;
Caylus 1752, p 159-160 et 172 ;
Dezallier 1762, p 84 ;
Papillon de La Ferté 1776, t 2, p 474 ;
Landon 1810-1821, t 3 (1813), pl 48 et p 93 ;
Lenoir 1824, p 222 ;
Chabert 1826, t 3 (non paginé) ;
Waagen 1838-1839, t 3, p 661 ;
Blanc 1854, p 20 et 23 ;
Lejeune 1864-1865, t 1, p 166 ;
Réveil et Duchesne 1872, t VII, p 53 et pl 64 ;
Le Brun-Dalbanne 1878, p 222 ;
Berger 1879, p 267-268 ;
Regnet 1880, p 54 ;
Bonnaffé 1884, p 289 ;
Engerand 1899, p 340-341 et 643 ;
Dimier 1927, t 2, p 72 ;
Marcel et Terrasse 1929, p 74 ;
Thuillier in catalogue de l'exposition **Versailles**
1963, p LXX et 131 ;
Thuillier 1964, p 112 ;
Rosenberg 1971, p 10 ;
Schnapper 1972, p 326 ;
Schnapper 1974, p 69 ;
Boyer 1980 [1982], n° 235, p 160 ;
Lacasse in catalogue de l'exposition de **Montréal** 1983
Brejon 1987, p 416.

L'entrée du *Portement de croix* dans la collection de Louis XIV avait une portée à la fois artistique et politique : le tableau était offert au roi par Seignelay, fils de Colbert, alors que Louvois, nouveau Surintendant des bâtiments, était depuis longtemps un protecteur attitré de Mignard. Le peintre était ainsi au centre de l'opposition des deux équipes ministérielles. Mais il n'aliéna pas son indépendance :
pour sa plus grande gloire, il restait maître de ce jeu complexe.

L'œuvre fit sensation :
"ce tableau est un des plus sçavans qui soit sorti de ses mains", notait Jean-François Félibien (1703, p 336), qui célébra la diversité de ses expressions et, malgré le grand nombre de personnages, la parfaite clarté de sa composition. Mignard donne ici le chef-d'œuvre, et comme la quintessence, d'un art fondé sur une longue méditation de la tradition classique italienne : telle un bloc erratique transporté de Bologne ou de Rome, la toile tranche sur la production parisienne contemporaine, et son succès n'en est que plus remarquable.

Elle fut rapidement reproduite par Gérard Audran dans une estampe que Mignard dédia au roi.

L'affaire fit du bruit et on y vit une cabale dirigée contre Le Brun[75] : or elle concernait tout autant Louvois. Celui-ci venait de déposséder le clan Colbert de la Surintendance des bâtiments[76], mais il n'était nullement préparé à ses nouvelles fonctions et avait besoin d'être épaulé par des hommes de confiance[77]. Dans le passé, Louvois (**cat 36**) avait toujours soutenu Mignard[78] : Seignelay, par son geste, se posait à son tour, et face à lui, en protecteur du peintre ; "il a toûjours eu les yeux ouverts pour le merite de Monsieur Mignard" assure un texte contemporain[79] : du même coup, il manifestait aussi sa volonté de se démarquer de Le Brun, que son père avait appuyé jusqu'au bout mais qui était maintenant en perte de vitesse. Un peu plus tard, Mignard réalisa pour Versailles un *Neptune offrant au roi l'empire de la mer (fig 22) :* la politique maritime de Louis XIV se trouvait glorifiée dans cette très grande toile, mais nul n'oubliait, devant elle, que Seignelay était précisément ministre de la Marine[80] ! La faveur du peintre était désormais un enjeu. Dans ces conditions, il est remarquable que Mignard ait réussi à ne s'aliéner ni l'une ni l'autre des deux équipes politiques rivales. Au plus fort de sa réussite, il ne fait figure de créature d'aucun ministre. Il n'est inféodé à aucun lignage. Il garde les coudées franches.

Dans la société d'ordres du XVIIe siècle, strictement hiérarchisée et fondée

80 On sait que le "débat entre la terre et la mer" (*cf* Corvisier, 1983, page 466) opposait les deux clans ministériels. Signalons que Michel Corneille – lui aussi protégé de Louvois et très proche de Mignard – traita le même thème dans un dessin qui est aujourd'hui au Metropolitan Museum de New York (il a été publié, comme une œuvre anonyme, par Jacob Bean, 1986, n° 352) *(fig 30)*.

fig 29 **Pierre Mignard**
Neptune offre au roi l'empire de la mer
1684
Compiègne, Musée national du château

75 C'est, entre autres, l'interprétation qu'en donne un contemporain anonyme, dont les notes ont été publiées dans les *Mémoires Inédits* (tome I, 1854, page 65).

76 Un des fils de Colbert, d'Ormoy, avait la survivance de la charge : mais son incapacité était notoire et il dut s'en démettre, dès le lendemain de la mort de son père, en faveur de Louvois.

77 "Louvois se considérait avant tout, comme un administrateur" (*cf* Corvisier, 1983, page 404).

78 Il s'agissait, naturellement, de faire pièce à Colbert. Mais au-delà tout indique que Louvois faisait grand cas de Mignard : ainsi, pour ne prendre qu'un exemple, douze tableaux de l'artiste apparaissent à son inventaire après décès.

79 *cf* Le Maire, 1685, tome III, page 268.

Et le Dauphin lui-même en dessina une copie que Louis XIV s'occupa de faire encadrer en 1689. Une fois de plus, comme dans le cas, quelques années plus tôt, de l'*Andromède,* la renommée du peintre s'appuyait sur une grande peinture d'histoire, dont l'entrée dans une collection prestigieuse faisait événement : "tout Paris en a esté rempli d'admiration" (Lemaire, 1685).

fig 30 **Michel Corneille le jeune**
Neptune offre au roi l'hommage de la mer
New York, Metropolitan Museum

cat 36 attribué à **François Girardon**
Troyes 1628-Paris 1715
Louvois
plâtre 0,72 m
Paris, Bibliothèque Sainte-Geneviève

historique
le buste apparaît pour la première fois dans l'inventaire de la bibliothèque dressé en 1790.

bibliographie
Boinet 1924, n° 27, p 47-48 ;
Souchal 1977-1987, t 2, n° 87d, p 67-68.

Inventoriée à la bibliothèque depuis 1790, l'œuvre compte peut-être au nombre des bustes que Girardon aurait "donnés à MM. de Sainte-Geneviève" (*cf* le mémoire de Grosley, daté de 1742, publié dans les *Mémoires inédits,* 1854, t 1, p 301). D'autres bustes de Louvois par Girardon sont mentionnés par diverses sources, mais n'ont pas été identifiés.

Notre portrait peut être rapproché du gisant que le sculpteur réalisa, entre 1693 et 1702, pour le tombeau du ministre (aujourd'hui à l'hospice de Tonnerre, dans l'Yonne). Louvois porte le manteau et le cordon de l'ordre du Saint-Esprit, dont il était chancelier. L'insistance sur les détails du costume, la pose statique donnent à l'effigie un caractère tout officiel.

cat 37 **François Chéron**
Lunéville 1635-Paris 1698
Médaille de Pierre Mignard
(avers et revers)
argent ou bronze
(selon l'exemplaire),
61 mm
Paris, Bibliothèque Nationale
Cabinet des Médailles
série iconographique française
n°s 2213 et 2214

bibliographie
(pour la devise)
Recueil..., avant 1679
(*cf* Berès, 1958) ;
Ménestrier 1681, p 73-74 ;
Monville 1730, p 141 ;
[Pichon] 1897, t 1, p 314 ;
Vanuxem 1958 ;
Berès 1958, n° 219.

exposition
Paris 1970, n° 193, p 133 et reproduction p 131.

POUR LE REVERS DE LA MEDAILLE
DE MONSIEUR MIGNARD.

MADRIGAL.

Je ſçay par le ſecret d'vn art ingenieux
Remplir et l'esprit & les yeux
De toutes les beautez que l'univers étalle ;
Je plais en tout égallement,
Et la Nature avoüe avec étonnement,
Si je ne la surpaſse, au moins que je l'égalle.

sur des rapports de fidélité et de dépendance, une telle autonomie semble exceptionnelle. Que l'on compare le cas de Mignard à celui de l'ombrageux et solitaire Poussin : ce dernier avait renoncé aux grandes entreprises, abandonné toute charge officielle, et se cantonnait aux tableaux de chevalet qu'il envoyait, de sa retraite romaine, à toute l'Europe. Le peintre de Saint-Cloud était engagé dans une voie différente, encombrée d'obstacles : sa grandeur est peut-être de n'avoir abdiqué aucune ambition. Il n'est pas indifférent que La Bruyère – autre familier de Chantilly – l'ait mentionné dans le chapitre "Du mérite personnel" de ses *Caractères,* soulignant que l'artiste qui "excelle dans son art" "en sort en quelque manière, et (...) s'égale à ce qu'il y a de plus noble et de plus relevé"**[81]**. Transgression des déterminations sociales, effacement des subordinations : on comprend que Mignard – qui fut anobli en 1687 – ait cherché, avec insistance, à attirer l'attention sur la part de son œuvre où le "mérite" se manifestait avec le plus d'indépendance. Du *Portement de croix* à l'*Andromède,* les grands tableaux d'histoire marquent ainsi le champ où pouvait régner, mieux qu'ailleurs, sa souveraine liberté (**cat 37**).

La date de la médaille, gravée en 1682 par un membre de l'Académie royale, est d'autant plus remarquable que Mignard, à ce moment-là, n'était investi d'aucune charge officielle. De fait l'artiste est représenté simplement vêtu d'une robe d'intérieur. Et l'inscription rappelle seulement ses origines troyennes, mais surtout – *pictor celeberrimus* – un titre de gloire qui suffit à justifier la frappe de l'œuvre.

La devise du revers avait été composée, selon Ménestrier, au moment des travaux de la Galerie d'Apollon à Saint-Cloud : elle figure en effet dans un *Recueil des devises de feu Mr. Clément,* orné d'enluminures par Pierre-Paul Sevin (*fig 31*) (le poète François Clément appartenait à l'entourage de *Monsieur* et mourut en 1679).

Contemporaines des décors de Saint-Cloud et de l'*Andromède,* devise et médaille confirment l'importance cruciale des années qui précédèrent la disparition de Colbert : alors que, depuis la Renaissance, Vasari avait fait de l'élection du prince le garant de l'excellence du créateur, Mignard apparaissait comme un peintre à la fois parfaitement glorieux et parfaitement indépendant des institutions qui réglaient la vie artistique.

fig 31 **Pierre-Paul Sevin** et **François Clément**
Devise de Mignard
localisation actuelle inconnue

81 La suite du passage est restée célèbre : "V... est un peintre, C... est un musicien et l'auteur de Pyrame est un poète ; mais Mignard est Mignard, Lulli est Lulli et Corneille est Corneille" ; *cf* La Bruyère, 1688 (édition 1926, page 78) et **cat 31**.

le héros

... Περσῆα,
πάντων ἀριδείκετον
ἀνδρῶν.

Persée le plus
grand des héros

Homère
Illiade
XIV, 320

"Monsieur le Prince
le héros [...]

Saint Simon
Mémoires
1983, t II, p 113

fig 32 **Titien**
Persée et Andromède
Londres
collection Wallace

Depuis le milieu du XVIe siècle, la représentation du thème de *Persée et Andromède* avait trouvé sa forme canonique. Celle-ci avait été fixée par Titien dans un tableau célèbre, peint entre 1554 et 1556 pour le roi Philippe II d'Espagne, qui, après être passé dans les galeries européennes les plus prestigieuses, est aujourd'hui à la Wallace Collection de Londres *(fig 32)*[82]. Le repérage des sources littéraires de cette peinture, leur interprétation par Titien, bref, ce que nous appelons l'étude iconographique et iconologique de l'œuvre, a donné lieu à une multitude de publications[83] dont la réunion occuperait sinon une bibliothèque, du moins une bonne longueur de rayonnages. Il ne saurait être question d'en évoquer ici, fût-ce très brièvement, toute la richesse[84] mais deux données nous semblent particulièrement importantes à retenir. La première est l'utilisation par Titien d'une traduction italienne d'Ovide, et non du texte latin original : le peintre, dont on nous assure qu'il n'était pas "di molta letteratura", ignorait les langues anciennes et c'est assez vainement, semble-t-il, qu'on a tenté d'interpréter son *Persée et Andromède* à la lumière de quelques textes grecs mineurs[85]. La seconde est l'érotisme éclatant, manifeste, de la peinture : dans la série des *poesie* destinées à Philippe II, l'*Andromède* rejoignait une *Vénus et Adonis* et une *Danaé* dont une lettre célèbre de Titien lui-même indique qu'il s'agissait

82 Pour les vicissitudes du tableau, *cf* Ingamells, 1982.

83 Nous nous limitons à indiquer les plus récentes ou les plus générales.

84 Par exemple, nous avons délibérément négligé d'évoquer le problème de la représentation de Pégase (absent du texte d'Ovide comme du prototype titianesque), qui ne joue pas dans les choix, les ruptures, les évolutions qui nous intéressent. De même, nous n'aborderons pas le cas isolé de Puget, ni celui de Rubens, chez qui le thème de *Persée et Andromède* connaît un développement remarquable mais autonome (à ce sujet, *cf* Muller, 1981-82).

85 *cf* sur ce point Ginzburg, 1976 (édition 1989, p 122-124 et 130-131).

cat 38 atelier français
dernier quart du XVIe siècle
Plat de Persée et Andromède
terre vernissée
0,50 m de diamètre
Musée du Louvre
Département des objets d'art
Inv N 195

bibliographie
Jestaz in catalogue de l'exposition Paris 1972-1973, n° 624, p 441 (avec bibliographie antérieure) ;
Lopato 1973 (pour la plaquette de l'Ermitage) ;
Weber 1975, t I, p 324 ;
Erlande-Brandenburg 1987, p 146 et fig 15.

Le relief reproduit une plaquette connue par plusieurs exemplaires : celle du Rijksmuseum d'Amsterdam, en plomb, porte la date de 1572 ; une autre, en bronze, a été découverte à l'Ermitage et attribuée à Hans Jamnitzer (Nüremberg, vers 1538-1603) *(fig 35)*.

La composition, archaïque et encombrée d'une foule de personnages, est radicalement différente de la formule mise au point par Titien. Les quelques œuvres où elle apparaît appartiennent à l'orfèvrerie ou aux arts du feu, domaines dans lesquels l'emprunt de motifs était technique courante. En dehors de ce groupe limité, elle ne semble pas avoir eu de postérité.

d'autant de variations sur le thème du corps féminin, vu sous différents angles. Et le commentaire de son ami Ludovico Dolce à propos du premier de ces tableaux ne laisse aucun doute quant à l'effet produit par la vision de cette Vénus de chair[86].

D'un autre côté le succès du *Roland furieux* de l'Arioste, publié pour la première fois en 1516, avait suscité un certain nombre d'illustrations, notamment pour ce qui concerne l'épisode célèbre de Roger délivrant Angélique. De cette histoire à celle de Persée et Andromède le passage était facile[87] : ainsi la feuille que Bernard Salomon grava, en 1557, pour une édition de la *Métamorphose d'Ovide figurée (fig 33)* est peut-être le résultat d'une contamination des deux thèmes[88]. Quoi qu'il en soit, les analogies entre la production du graveur lyonnais et le tableau du Vénitien sont très grandes, et il est remarquable que les deux artistes aient abouti, de façon à peu près simultanée, à des solutions analogues. Mais l'œuvre de Titien se distingue par un dépouillement plus grand, par la réduction de la scène à ses éléments essentiels, à son épure : les trois figures de la femme, du héros et du monstre sont combinées avec une simplicité presque brutale, le paysage s'efface ou n'est que le réceptacle de quelques objets. On est loin, ici, de la composition complexe que Cellini venait d'imaginer, à peine quelques années plus tôt, pour le bas-relief destiné au socle de son *Persée*

86 *cf* les textes cités par Ginzburg, 1976 (1989).

(fig 34). Titien ne retient qu'un moment particulier du récit d'Ovide, il élimine détails et circonstances et l'évidence de la représentation est le fruit d'une limitation sévère.

Le tableau semble avoir été rapidement reproduit par l'estampe. Et la formule ainsi mise au point avait un grand avenir : grâce à sa merveilleuse simplicité, elle allait en effet prendre le pas sur les autres figurations du mythe. Non sans résistances, toutefois, ni retours en arrière. Ainsi, plusieurs collections publiques conservent des plats ronds, fabriqués en France dans la seconde moitié du XVIe siècle, où la délivrance d'Andromède se trouve représentée en relief (**cat 38**). Le paysage, sa végétation, de petits animaux étrangers à l'action (un chien, un dauphin), y sont détaillés avec insistance, tandis qu'une foule de personnages — les parents d'Andromède et leur peuple — assiste au combat. Or cette composition reproduit une plaquette *(fig 35)* qui fut peut-être créée par l'orfèvre Hans Jamnitzer (Nüremberg, vers 1538-1603), et dont un exemplaire est daté de 1572[89]. On voit donc qu'un modèle alternatif à celui de Titien pouvait apparaître. Mais il s'agissait là, il faut le noter, de domaines bien particuliers, celui de la petite plastique et celui des arts du feu. Surtout, dans sa minutie, ce type de représentation semble avoir été frappé d'archaïsme et, autant que nous le sachions, il resta sans postérité. Tout au

87 *cf* Lee, 1977. Il nous paraît significatif que cette très belle étude soit, en réalité, consacrée tout autant au texte d'Ovide qu'à celui de l'Arioste. On doit vivement regretter que la mort ait empêché l'auteur de mener à bien l'enquête qu'il préparait sur la fortune des deux thèmes après le XVIe siècle.

88 *cf* Lee, 1977, p 317-318 : "(...) our hypothesis that book illustrations of Ariosto's poem provided Salomon with a visual model for *Perseus on Pegasus* in his *Liberation of Andromeda*". L'étude classique sur les éditions illustrées d'Ovide est celle de Henkel, 1930 (à compléter par Amielle, 1989).

89 La plaquette de Jamnitzer, conservée à l'Ermitage, a été publiée par Lopato, 1973.

fig 35 attribué à **Hans Jamnitzer**
Persée et Andromède
plaquette de bronze
Leningrad, Ermitage

fig 33 **Bernard Salomon**
Persée et Andromède
illustration de la Métamorphose d'Ovide figurée
Lyon 1557

fig 34 **Benvenuto Cellini**
Persée et Andromède
Florence, Bargello

cat 39 Paul Véronèse
Vérone 1528 - Venise 1588
Persée délivrant Andromède
huile sur toile
2,60×2,11 m
Rennes, Musée des Beaux-Arts
Inv 801.1.1

historique
le tableau apparaît dans la collection du Surintendant des finances Nicolas Fouquet, puis passe à Louis XIV ; il est envoyé à Rennes par l'Etat en 1801.

bibliographie
Constans 1976, n° 16, p 165 ;
Ramade 1980 ;
Brejon 1987, n° 183, p 234-235.

expositions
Rennes 1987, n° 29 ;
Washington 1988-1989, n° 86.

L'œuvre pourrait avoir été peinte autour de 1584. Plutôt que de l'*Andromède* de la collection Wallace, W.R. Rearick (*cf* le catalogue de l'exposition de Washington) la rapproche d'une autre composition de Titien, connue surtout par un dessin des Offices. Mais on retrouve dans la toile de Rennes la simplicité de construction, et la radicale réduction à trois figures du tableau londonien.

Ce chef-d'œuvre des dernières années de Véronèse était placé à Versailles dans le Grand appartement, et Mignard ne pouvait manquer de le connaître.

contraire, c'est à Titien que Véronèse eut recours pour son *Persée et Andromède* (**cat 39**) : peint sans doute vers le milieu des années 1580, le tableau reprend le schéma élaboré quelques décennies plus tôt. Et par l'intermédiaire de Véronèse c'est encore l'archétype titianesque qui s'imposera à Natoire, dans les années 1730, quand il s'agira de représenter, pour le contrôleur des finances Philibert Orry, l'*Histoire des Dieux* au château de la Chapelle-Godefroy (**cat 40**).

Corneille nous livre une des clés de cette permanence :

"Les Peintres qui cherchent à faire paraître leur Art dans les nudités, ne manquent jamais à nous représenter Andromède nue au pied du rocher où elle est attachée, quoiqu'Ovide n'en parle point"**90**.

La mise en scène du nu féminin est en effet la caractéristique la plus évidente de nombreuses œuvres où l'on reconnaît sans peine, avec plus ou moins de variantes, la triade agencée par Titien. C'est le cas du *Persée et Andromède* peint par Wtewael en 1611 (**cat 41**), comme du dessin, dû à un artiste français anonyme et proche de Vouet, qui est conservé au Louvre (**cat 42**) ou de l'illustration gravée par François Chauveau pour les *Métamorphoses d'Ovide en rondeaux* de Benserade (1676) (**cat 43**). Mais l'érotisme est peut-être plus net encore dans l'estampe de Mellan (**cat 44**), où l'histoire d'Andromède n'est guère qu'un pré-

90 *cf* L'"Argument" d'*Andromède*, 1651 (éditions Delmas, 1974, p 8).

attribué à
cat 40 **Charles-Joseph Natoire**
Nîmes 1700 - Castelgandolfo 1777
d'après **Véronèse**
Persée délivrant Andromède
huile sur toile
1,14 m de diamètre
Troyes, Musée des Beaux-Arts
Inv 835-9

historique
le tableau fut sans doute commandé par Philibert Orry, contrôleur général des finances et directeur des bâtiments du roi, pour compléter la série des *Amours des Dieux,* peinte par Natoire à partir de 1731, et destinée au château de La Chapelle-Godefroy ; saisi en 1793.

bibliographie
Sainte-Marie
in catalogue de l'exposition de Troyes, Nîmes et Rome, 1977, p 54-55 ;
Ramade 1980,
p 10, fig 5.

expositions
Rennes 1987, nº 29 b.

Parallèlement aux créations de Lemoyne et Carle Vanloo, cette copie témoigne du succès persistant, au XVIIIe siècle, des prototypes élaborés par les grands maîtres de la Renaissance vénitienne.

cat 41 **Joachim Wtewael**
Utrecht 1566-1638
Persée délivrant Andromède
huile sur toile
0,80 × 1,50 m
s d g sur un rocher :
Joachim Wtewael fecit Anno 1611
Musée du Louvre
Département des peintures
Inv R.F. 1982-51

bibliographie
Foucart
in catalogue d'exposition
Paris, 1983, p 35-37,
avec historique et bibliographie
antérieure.

L'érotisme raffiné du tableau joue des effets d'écho et de contrastes : entassement des coquillages nacrés qui répond au long corps dénudé, premier plan plongé dans l'ombre s'ouvrant sur l'immensité du paysage, élégance d'Andromède opposée à la rusticité bouffonne du cavalier juché sur son Pégase.

L'humour de l'œuvre, et ce goût pour les oppositions "rhétoriques", rapprochent Wtewael de l'"École de Prague". Mais l'attention portée à Titien est une autre ressemblance avec ces peintres regroupés, à partir des années 1580, autour de l'empereur Rodolphe : par sa construction simple, où les zones s'opposent franchement, et la place prépondérante du nu féminin, le tableau rappelle en effet l'*Andromède* du maître vénitien.

fig 36 anonyme français du XVIIe siècle
Persée délivrant Andromède
Dijon, musée Magnin

cat 42 anonyme français du XVIIe siècle
Persée délivrant Andromède
pierre noire
rehauts de blanc sur papier beige
0,368×0,277 m
Musée du Louvre
Département des arts graphiques
Inv 33223

historique
collection Jabach
classé dans le "Rebut",
sans attribution ;
acquis pour le roi en 1671.

bibliographie
B Brejon 1987,
n° 194, p 170-171.

La feuille est en rapport étroit avec une toile (hélas anonyme !) du musée Magnin de Dijon (*fig 36*), mais les deux œuvres diffèrent par plusieurs variantes : ainsi le groupe des assistants, indiqué au fond du dessin, n'apparaît pas dans le tableau ; la pose d'Andromède n'est pas tout à fait la même ; dans la peinture, enfin, Persée et sa monture sont repoussés à l'arrière-plan et occupent une place moins importante.

Comme chez Titien, dans l'un et l'autre cas, l'essentiel se joue entre les trois protagonistes, et le nu féminin est bien en évidence.

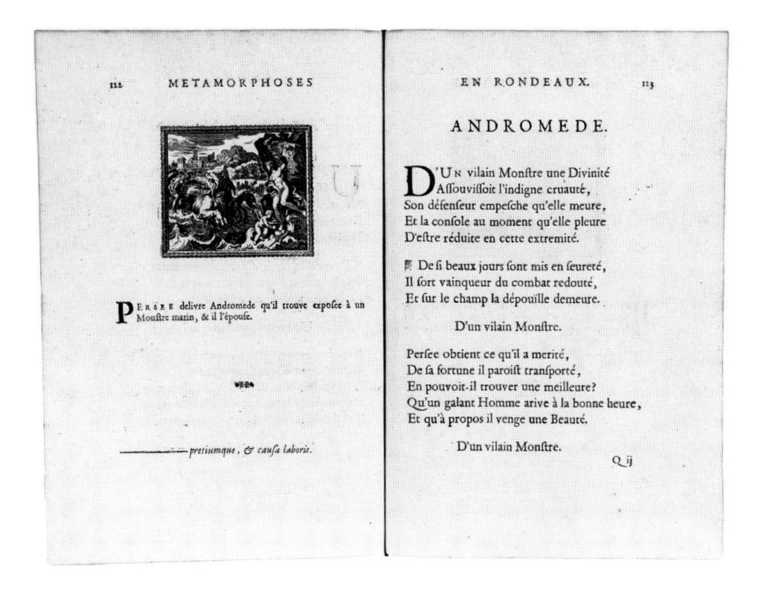

112 METAMORPHOSES

PERSÉE delivre Andromede qu'il trouve exposée à un Monſtre marin, & il l'épouſe.

——— *pretiumque, & cauſa laboris.*

EN RONDEAUX. 113

ANDROMEDE.

D'UN vilain Monſtre une Divinité
Aſſouviſſoit l'indigne cruauté,
Son défenſeur empeſche qu'elle meure,
Et la conſole au moment qu'elle pleure
D'eſtre réduite en cette extremité.

De ſi beaux jours ſont mis en ſeureté,
Il ſort vainqueur du combat redouté,
Et ſur le champ la dépoüille demeure.

D'un vilain Monſtre.

Perſee obtient ce qu'il a merité,
De ſa fortune il paroiſt tranſporté,
En pouvoit-il trouver une meilleure?
Qu'un galant Homme arive à la bonne heure,
Et qu'à propos il venge une Beauté.

D'un vilain Monſtre.

Q ij

cat 43 **Isaac de Benserade**
1612-1691
Metamorphoses d'Ovide en rondeaux imprimez et enrichis de figures par ordre de Sa Majesté, Et dediez à Monseigneur le Dauphin
Paris, Imprimerie royale,
1676, 4°, 463 pages, 226 figures, frontispice gravé
Paris, Bibliothèque nationale
Département des imprimés
Yc. 744

Le frontispice du livre est gravé d'après Le Brun et chaque rondeau s'accompagne d'une estampe de l'invention de François Chauveau (1613-1676).

Deux d'entre elles sont consacrées à l'histoire de Persée et d'Andromède. Dans la représentation du combat, on retrouve le schéma classique, où un rôle prépondérant est joué par la figure de l'héroïne, qu'un Amour s'empresse de détacher. Persée, en revanche, n'apparaît guère, et le monstre et le paysage occupent une place plus grande que d'habitude.

Le livre n'eut qu'un demi-succès (Boileau le tourna en ridicule dans la préface de ses *Œuvres,* en 1701). Une seconde édition, beaucoup moins soignée et sans illustrations, parut en 1694 :
deux ans auparavant, l'ensemble des planches avait été vendu au graveur Girard Audran, sans doute pour être débitées séparément (*cf* Préaud, Casselle, Grivel, Le Bitouzé, 1987, p 34).

A deux autres reprises, Chauveau avait déjà représenté le même thème, avec une magnifique variété (*cf* **cat 45** et **51**).

cat 44 Claude Mellan
Abbeville 1598 - Paris 1668
Persée délivrant Andromède
Paris, Bibliothèque nationale
Département des estampes
et de la photographie
SA 41

bibliographie
Brejon et Préaud
in catalogue de l'exposition
Paris, 1988, p 50 et 54 ;
Préaud 1989,
n° 130, p 94-95.

La lettre de la gravure indique qu'elle reproduit un tableau – malheureusement perdu – peint par Mellan à Rome (soit avant 1636, date de son retour en France).

Cette "agréable estampe" (Mariette) est avant tout une étude de nu féminin. Mais le paysage occupe une place très importante : la mer s'agite, on entrevoit un dieu-fleuve dans une anfractuosité, et sur les rochers fantastiquement découpés sont juchées quelques figures gesticulantes.

La dédicace de la feuille est adressée au génois Luca Giustiniani, capitaine de galères. Mellan était un protégé de cette illustre famille patricienne, et il ne nous paraît pas exclu que l'estampe ait quelque rapport avec la politique de la République de Gênes, et le rôle joué par sa flotte dans la police de la Méditerranée.

cat 45 **François Chauveau**
Paris 1613-1676
Persée et Andromède
Paris, Bibliothèque nationale
Département des estampes
et de la photographie
SA 41

bibliographie

Weigert 1951, p 411-412 ;
Préaud 1984, p 92 et fig 35 ;
Préaud 1985, p 379 ;
Pérez 1986, p 155.

La feuille appartient à un petit recueil de six pièces consacré aux *Métamorphoses,* et dédié à un membre de la riche famille des banquiers Lumague.

Le combat se déroule dans un paysage riant, largement déployé. Au fond, devant des fabriques à l'Antique, la famille d'Andromède. Au premier plan à droite, un dieu-fleuve, un *putto* et une naïade qui n'apparaissent pas dans le récit d'Ovide mais dont Chauveau se plaît à opposer la nudité et la fragilité, comme celles de l'héroïne, aux replis écailleux du monstre.

fig 37 d'après
Jean-Baptiste Lemoyne
Andromède
gravure

texte pour traiter le thème du nu dans un paysage : à côté du corps blanc de la jeune fille, isolé et bien en évidence, la terre s'amoncelle en rocs, tandis que le héros et le monstre semblent se dissoudre dans les éléments dont ils se distinguent à peine. De même Chauveau, dans une autre gravure (**cat 45**), installe au premier plan un groupe de personnages nus tout à fait étrangers au récit d'Ovide. Ce privilège accordé à la représentation de la figure féminine trouve sans doute son aboutissement dans certaines sculptures. L'"Andromède exposée sur un rocher" que Michel Anguier avait réalisée pour la galerie de la maison de M. de Lorme[91] est perdue, ainsi que celle présentée par Jean-Baptiste Lemoyne, en 1710, pour sa réception à l'Académie. Mais cette dernière est connue par la gravure *(fig 36)* et l'*Andromède* de Robert Le Lorrain (**cat 46**) est entrée récemment au Louvre : dans ces deux œuvres, on découvre un nu féminin pur et simple, que quelques accessoires à peine indiqués ne rattachent plus que de façon très lâche au mythe antique.

Cet effacement à peu près complet du sujet n'était qu'un cas extrême. En fait, la représentation de l'épisode des *Métamorphoses* ne cessa d'accompagner l'évolution des arts, d'épouser les variations de la sensibilité. Elle se fait *rococo,* aimable et galante, avec Bertin (**cat 47**), tandis que Charles-Antoine Coypel — futur Premier peintre du roi et soucieux de "grand

91 L'existence de l'œuvre est attestée par Guillet de Saint-Georges (*cf Mémoires Inédits,* 1854, t I, p 441). Souchal (1977-1987, t III, p 443) la rapproche, par hypothèse, d'un dessin conservé dans les Papiers De Cotte, à la Bibliothèque nationale.

cat 46 **Robert Le Lorrain**
Paris 1666-1743
Andromède
bronze
0,62×0,21×0,10 m
Musée du Louvre
Département des sculptures
Inv RF 3399

historique
Acquis par le Louvre en 1978, il est probable que ce bronze est celui qui figura aux ventes Blondel de Gagny (1776), Leroy de Senneville (1780) et Lebœuf (1783).

bibliographie
Beaulieu 1979 ;
Souchal 1977-1987, t II, p 333-334 ;
Beaulieu 1982, p 49-50, n° 107 p 115, pl XXVIII-XXIX.

exposition
Brisbane et **Tōkyō** 1988, n° 26.

L'œuvre fut sans doute exécutée vers la fin du XVIIe siècle, peut-être pour le célèbre amateur Crozat, et peu de temps après que Le Lorrain fut rentré de Rome.

Elle marque l'aboutissement d'une certaine tendance. Persée, le monstre, ont disparu. Les attributs qui permettraient de reconnaître Andromède sont à peine indiqués. Reste un nu d'une superbe sensualité : Ovide comme prétexte.

cat 47 **Nicolas Bertin**
Paris 1668-1736
Persée délivrant Andromède
huile sur toile 0,71 × 0,52 m
Carcassonne
Musée des Beaux-Arts
Inv 2542

historique
L'œuvre appartient à un cycle de cinq toiles consacrées aux *Amours des dieux* dont on ignore la destination, mais que Thierry Lefrançois (1981, p 50) pense avoir été exécuté vers 1715-1719 ; l'ensemble est mentionnée dans la collection royale en 1827, et est déposé au musée de Carcassonne en 1950.

bibliographie
Lefrançois 1981,
p 50-51 et n° 38 p 123, fig 75.

Traitée avec raffinement et sobriété – la palette se limite à quelques couleurs froides – la scène du combat est placée dans un cadre féerique, où les corps, les nuées et les rocs se tordent en volutes, où les flots s'immobilisent comme sculptés par le ciseau d'un ornemaniste.

Plusieurs personnages secondaires, Amours et Naïades, accompagnent l'action. En revanche ils n'apparaissent pas dans un dessin de Bertin préparatoire à un plafond (Lefrançois, n° 263), où l'artiste reprend le même thème, réduit cette fois aux trois figures principales.

fig 39 **Frémin**
La fontaine d'Andromède
Château de la Granja, Espagne

fig 38 **Charles-Antoine Coypel**
Persée et Andromède
1727
Musée du Louvre

genre" — donne au *Concours de 1727* une composition ambitieuse qui est immédiatement retenue pour la collection royale *(fig 38)*[92]. Le Brun dessine un projet de fontaine (**cat 48**), vite gravé par Chastillon, dont le sculpteur Frémin semble s'être plus tard inspiré *(fig 39)*. Parallèlement, l'illustration gravée des ouvrages d'érudition (**cat 49** et **50**) ou de théâtre (**cat 51** et **52**), offre une grande variété due au souci de précision archéologique ou à la volonté de rester fidèle à la réalité des représentations. Reflet de la diversité des courants, adaptation à de multiples fonctions : à chaque fois, on peut le remarquer, c'est — comme chez Titien — le moment du combat qui se trouve représenté.

Sur ce point, il faut mettre à part un groupe d'œuvres très représentatives du mouvement de retour à l'Antique, "sentimental et moralisant" (Jean Locquin), qui marqua la seconde moitié du XVIIIe siècle et que nous appelons Néoclassicisme. En 1768, une gravure de Massard pour une édition parisienne des *Métamorphoses* (**cat 53**) décrivait la cérémonie du mariage du héros et de sa conquête. Surtout le *Persée et Andromède* d'Anton-Raphaël Mengs, peint en 1774, fut un tableau célèbre *(fig 40)* dont Vien — un des principaux tenants, en France, du nouveau cours — regrettait un peu plus tard qu'il n'ait pas été acquis pour le roi[93]. Dépouillée et ramenée, pour l'essentiel, à ses deux protagonistes, la toile

92 Sur le Concours, et le tableau de Coypel, *cf* Rosenberg, 1977 (notamment p 40, no XIII, et *fig 17*).

93 Pour le tableau, *cf* Celisceva, 1980 (en russe). L'opinion de Vien n'avait pas échappé à Locquin (1912 ; réédition 1978, no 5, p 105).

cat 48 **Charles Le Brun**
Paris 1619-1690
Persée et Andromède
lavis gris sur esquisse
à la pierre noire
0,443×0,288 m
annoté en bas à gauche,
à la pierre noire :
Fontaine de Persée et d'Andromède
Musée du Louvre
Département des arts graphiques
Inv 29811

historique

Entré dans le Cabinet du roi avec le fonds d'atelier du peintre, en 1690.

expositions

Versailles 1963, no 148, avec exposition et bibliographie antérieures.

Jennifer Montagu (in catalogue de l'exposition de Versailles, 1963) a rappelé que le dessin appartient à une série de projets pour des fontaines destinées à la ville de Paris. L'entreprise échoua, et seules quelques fontaines furent réalisées à Versailles (les dessins qui restaient étant gravés par Chastillon).

Le Brun respecte le texte d'Ovide, qui montre Persée combattant à la fois avec sa *harpé* et la tête de Méduse. Au sommet de sa composition il installe Minerve tenant le bouclier qui, utilisé comme un miroir, a permis au héros de tuer la Gorgone.

Ajoutons que le sculpteur Frémin (1672-1744) réalisa à La Granja, vers 1721-1728, pour le roi d'Espagne une grande fontaine qui semble bien inspirée du projet de Le Brun, sans doute connu par l'intermédiaire de l'estampe de Chastillon : la principale variante est que Minerve se trouve placée à mi-hauteur, tandis qu'un Amour, tout en haut, s'occupe de détacher la princesse.

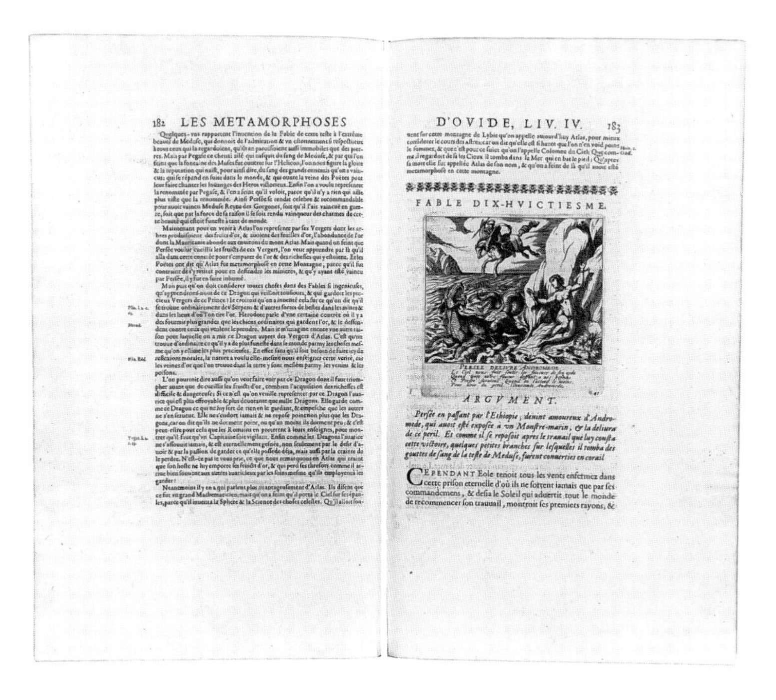

182 LES METAMORPHOSES

D'OVIDE, LIV. IV. 183

uent sur cette montagne de Lybie qu'on appelle auiourd'huy Atlas, pour mieux considerer le cours des Astres: car on dit qu'elle est si haute que l'on n'en void point le sommet, & que c'est pour ce suiet qu'on l'appelle Colomne du Ciel; Que comme il regardoit de là les Cieux il tomba dans la Mer qui en bat le pied; Qu'apres sa mort elle fut appellée Atlas de son nom, & qu'on a feint de là qu'il auoit esté metamorphosé en cette montagne.

FABLE DIX-HVICTIESME.

PERSEE DELIVRE ANDROMEDE.

ARGVMENT.

Persée en passant par l'Ethiopie, deuint amoureux d'Andromede, qui auoit esté exposée à vn Monstre-marin, & la deliura de ce peril. Et comme il se reposoit apres le trauail que luy cousta cette victoire, quelques petites branches sur lesquelles il tomba des gouttes de sang de la teste de Meduse, furent conuerties en corail

CEPENDANT Eole tenoit tous les vents enfermez dans cette prison eternelle d'où ils ne sortent iamais que par ses commandemens, & desia le Soleil qui aduertit tout le monde de recommencer son trauuail, montroit ses premiers rayons, &

cat 49 *Les Métamorphoses d'Ovide, divisées en XV. livres. Avec de nouvelles Explications Historiques, Morales & Politiques sur toutes les Fables, chacune selon son sujet Enrichies de figures. Et nouvellement traduites par Pierre Du-Ryer, de l'Académie Françoise*
Paris, Antoine de Sommaville, 1660, pièces limin., 730 pages, fol.
Paris, Bibliothèque nationale
Département des imprimés
Fol. Yc.7

Si Condé, parfait latiniste, lisait les classiques dans le texte, il est vraisemblable que Mignard n'avait accès qu'à leur traduction. Pour les *Métamorphoses,* celle du Du Ryer (Paris, vers 1605-1658) fut la plus répandue de la seconde moitié du XVIIe siècle.

L'exemplaire que nous présentons est relié aux armes des Condé, et il n'est pas impossible que l'artiste l'ait eu en mains au moment où il travaillait à sa toile.

Les gravures (anonymes) de cette édition sont des copies de celles qu'avait exécutées Tempesta à la fin du XVIe siècle (*cf* Henkel, 1930, p 103).

fig 40 **Anton-Raphaël Mengs**
Persée et Andromède
1774
Leningrad, Ermitage

fig 41 **Pietro Santi Bartoli**
d'après l'Antique *Persée et Andromède*
Paris, Bibliothèque nationale
Département des estampes
et de la photographie

cat 50 Michel de Marolles
Marolles, près de Genillé,
Indre-et-Loire 1600-Paris 1681
Tableaux du Temple des Muses ; tirez du cabinet de feu Mr. Favereau conseiller du Roy en sa Cour des Aydes, & gravez en Tailles-douces par les meilleurs Maistres de son temps, pour représenter les Vertus & les Vices, sur les plus illustres Fables de l'Antiquité. Avec les Descriptions, Remarques & Annotations composées par Mre Michel de Marolles Abbé de Villeloin
Paris, Antoine de Sommaville 1655, pièces limin., 477 pages, fol.
Paris, bibliothèque Mazarine
345 H

bibliographie
Mac Allister Johnson 1968 ;
Vanuxem 1972.

Le commentaire du célèbre, et fort original, abbé de Marolles, accompagne les gravures qu'avait fait réaliser, plusieurs années auparavant, Jacques Favereau (1590-1638).

L'histoire de la délivrance d'Andromède apparaît dans le livre V ("Les avantures de l'air et des eaux"). Elle est illustrée d'une estampe d'Abraham Diepenbeck, que Marolles critique pour avoir représenté la princesse éthiopienne noire, malgré les indications contraires d'Ovide, Nonnus, ou Lucien. Les "Annotations", surtout, mettent à la portée du lecteur toute l'érudition souhaitable : outre les auteurs déjà cités, on y trouve des extraits de Philostrate, Properce, Horace (mais aussi de Virgile, Lucain, Juvénal, sans rapport direct avec Andromède !).

cat 51 **Pierre Corneille**
Rouen 1606-Paris 1684
Andromède. Tragédie.
Représentée avec les Machines
sur le Théâtre Royal de Bourbon
Rouen, Laurens Maurry, et Paris,
Charles de Sercy, 1651, 4°, 6 fol,
123 pages, 6 figures
Paris, Bibliothèque nationale
Département des imprimés
Réserve Yf. 604

bibliographie

Delmas 1974 ;
Couton 1984 ;
Delmas 1986 ;
La Gorce 1988 (à paraître).

La pièce fut jouée à la fin du mois de janvier 1650, dans des décors de Giacomo Torrelli. Les gravures de Chauveau qui les reproduisent apparaissent dans la deuxième édition, et la planche représentant la délivrance d'Andromède est placée en tête du IIIe acte.

Le graveur a magnifiquement rendu la noirceur, l'atmosphère de terreur sacrée, du beau texte consacré par Corneille à la "décoration" de cet acte. "Rochers affreux", "vagues" qui "sont dans une agitation continuelle, et composent comme un Golfe enfermé entre deux rangs de falaises" : l'"horrible spectacle" est bien le "funeste appareil de l'injustice des dieux".

Au premier plan à gauche, sur le plateau du théâtre, les parents de la princesse et leur suite.

cat 52 **Philippe Quinault**
Paris 1635-1688
Persée, tragédie représentée par l'Académie royale de musique. Le dix-huitiéme Avril 1682,
Paris, Christophe Ballard
1682, 4°, t X, 62 pages,
frontispice gravé

bibliographie
Perez Guillen 1985, p 91 ;
La Gorce 1986, p 19, 82-83.

La tragédie lyrique de *Persée,* mise en musique par Lully, fut représentée en 1682. Le décor était de Jean Bérain (Saint-Mihiel 1640-Paris 1711).

Comme frontispice, une gravure de Jean Dolivar montre la scène de la délivrance, au IVe acte, alors que le théâtre "représente la mer, & un Rivage bordé de Rochers".

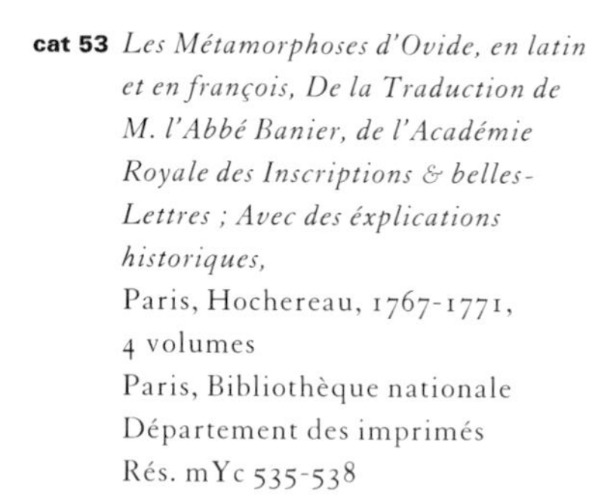

cat 53 *Les Métamorphoses d'Ovide, en latin et en françois, De la Traduction de M. l'Abbé Banier, de l'Académie Royale des Inscriptions & belles-Lettres ; Avec des éxplications historiques,*
Paris, Hochereau, 1767-1771,
4 volumes
Paris, Bibliothèque nationale
Département des imprimés
Rés. mYc 535-538

La traduction de l'abbé Banier, publiée pour la première fois à Amsterdam en 1732, eut beaucoup de succès au XVIIIe siècle.

Dans l'édition parisienne ici présentée, l'histoire de Persée et Andromède — "fable" VIII du tome II (1768) — est illustrée par deux compositions de Ch. Eisen (Valenciennes 1720-Bruxelles 1778). La première, gravée par N. Le Mire, représente, comme il est habituel, la délivrance de la princesse. Mais la seconde, gravée par Massard, est plus originale : elle déploie sur le parvis d'un temple, dans un noble cadre d'architecture qui n'est pas sans rappeler la colonnade du Vatican, la scène vertueuse des épousailles des deux héros.

fig 42 **Joseph Chinard**
Persée et Andromède
Lyon, Musée des beaux-arts

fig 43 **Pierre Puget**
Persée délivrant Andromède
1684
Musée du Louvre

représente non pas la lutte de Persée contre le monstre mais le moment où Andromède, à peine délivrée, s'apprête à le suivre[94]. Le même thème fut choisi en 1786, à Rome, pour un concours de sculpture de l'académie de Saint-Luc, dans lequel s'illustrèrent Chinard *(fig 42)* et Schadow (**cat 54**). Au point de départ de toutes ces réalisations, un bas-relief antique du musée du Capitole, plusieurs fois gravé *(fig 41)*[95]. On quittait ainsi le monde enchanté et merveilleux d'Ovide pour celui des héros vertueux de Plutarque.

Mais relisons Delacroix :

"Beaux sujets :

(...)

Le héros sur un cheval ailé qui combat le monstre pour délivrer la femme nue. (Voir dans le livret le sujet du tableau de *Jollivet.*)"

On pourrait illustrer ce fragment du *Journal* (1849)[96] aussi bien par les *Persée et Andromède* de Lemoyne (1723) ou de Van Loo (vers 1735-1740) *(fig 44 et 45)*, que par celui de Gustave Doré (**cat 55**) : par-delà la parenthèse néoclassique, la formule du tableau de Titien passe sans difficulté d'un siècle à l'autre. En outre sa simplicité hors pair lui donne une souplesse qui permet bien des adaptations, ou même des déviations. Ainsi, avec son *Roger et Angélique* (**cat 56**), Ingres semble remonter jusqu'à la source commune des illustrations d'Ovide et du Tasse. Et un petit bronze de Barye

94 Puget, en 1684, avait choisi le moment qui précède immédiatement : un Persée musculeux, arc-bouté dans l'effort, délie le frêle corps féminin *(fig 43)*.

95 Nous reproduisons l'estampe de Pietro Santi Bartoli, publiée à Rome au XVIIe siècle par les célèbres éditeurs De' Rossi. Celle de Pierre-Louis Surugue (1716-1772) reproduit un dessin de Lambert Sigisbert Adam (1700-1759), exécuté sans doute à Rome, entre 1723 et 1736. Quant à celle de Jean Barbault (1712-1762), il s'agit d'une publication posthume due, en 1783, aux éditeurs romains Bouchard et Gravier (*cf* le catalogue de l'exposition de Beauvais, Angers et Valence, 1974-75, p 55 et 60-61).

96 Il est daté du jeudi 31 mai 1849 (*cf* Eugène Delacroix, *Journal 1822-1863*, Paris, 1980, p 195).

cat 54 **Johann Gottfried Schadow**
Berlin 1764-1850
Persée délivrant Andromède
terre cuite
0,43×0,245×0,215 m
Bayonne, musée Bonnat
Inv CM 400/1

historique
collection Paul Cailleux, acquise en 1983.

bibliographie
Preston Worley 1989.

exposition
Paris 1985-1986, n° 509.

Considérée jusqu'ici comme une œuvre de Joseph Chinard, dont on connaît d'autres créations de même sujet *(fig 42)*, la terre cuite du musée Bonnat a été tout récemment donnée à Schadow.

Il s'agirait d'une esquisse pour le *Concorso Balestra* de sculpture organisé, en 1786, par l'académie romaine de Saint-Luc. Le thème, à la fois érotique et héroïque, et son traitement noble et simple, sont bien dans le ton de l'époque.

Aux modèles repérés par Preston Worley, il convient d'ajouter le *Persée et Andromède* de Mengs *(fig 40)* : ce tableau était célèbre à Rome, comme le jugement de Vien cité plus haut en témoigne, et son autorité ne pouvait manquer de renouveler l'intérêt que l'on portait au bas-relief antique du Capitole *(fig 41)*.

cat 55 **Gustave Doré**
Strasbourg 1832-Paris 1883
Persée délivrant Andromède
Paris, Bibliothèque nationale
Département des estampes
et de la photographie
SA 41

La facilité d'invention de Doré était proverbiale. Ici, pourtant, il emprunte sans la renouveler la formule illustrée longtemps auparavant par Titien.

fig 44 **François Lemoyne**
Persée et Andromède
1723
Londres, collection Wallace

fig 45 **Carle Van Loo**
Persée et Andromède
vers 1735-1740
Leningrad, Ermitage

cat 56 **Jean-Auguste-Dominique Ingres**
Montauban 1780-Paris 1867
Roger délivrant Angélique
huile sur toile
1,47×1,90 m
s d b d sur le rocher
JAD. Ingres. Pit Roma 1819.
Musée du Louvre
Département des peintures
Inv 5419

historique
commandé en 1817 pour la Salle du Trône du château de Versailles ; acquis en 1819.

bibliographie
Ternois et Casemasca 1971, n° 100 ;
Ternois 1984, p 42.

exposition
Paris 1967-1968, n° 107 ;
Paris 1974-1975, n° 107 ;
Sidney et **Melbourne** 1980-81, n° 86.

Le tableau représente, sans contestation possible, le célèbre passage du *Roland furieux* de l'Arioste (chant x, strophes 92-sq.). Néanmoins, dès 1819, Kératry le confondait avec un *Persée et Andromède* (Ingres protesta avec force...) et l'on a très souvent, depuis lors, souligné les ressemblances avec ce dernier thème que, pour certains auteurs, Ingres aurait d'abord voulu représenter. Témoignage de cette contamination, la formule d'Henri Focillon (1927), commentant "l'*Andromède* (ou plutôt, pour lui rendre son vrai nom, l'*Angélique*)".

Les déclarations du peintre lui-même, et les documents récemment retrouvés, permettent d'écarter ces suppositions. Reste que la confusion fut durable : si elle trouve sa source dans l'extraordinaire force de l'*Andromède* de Titien, il convient aussi de rappeler que selon Lee (1977) l'iconographie des deux thèmes aurait été longtemps mêlée.

cat 57 **Antoine-Louis Barye**
Paris 1796-1875
Roger et Angélique
bronze
0,53×0,76×0,24 m
Musée du Louvre
Département des sculptures
Inv OA 5724

historique
legs Thomy-Thiéry 1902

Barye, célèbre animalier, donne à l'hippogriffe qui emporte Roger et Angélique une place prépondérante. Mais le sculpteur le traite d'une façon très différente d'Ingres, et la monture fantastique se rapproche des représentations traditionnelles de Pégase.

97 Sur cette coupe, réalisée en 1855 par Jean-Valentin Morel pour Henry Thomas Hope, *cf* le catalogue de l'exposition, Paris, 1979, nº 85 (dans sa notice, Daniel Alcouffe signale l'existence d'un vase en cristal fumé exécuté, vers la même époque, par l'orfèvre londonien Emanuel, et représentant lui aussi *Persée et Andromède*). Le modèle dessiné par Sevin est passé en vente à Monaco, Sotheby's, le 3 décembre 1989, nº 531, reproduction.

fig 46 **Eugène Julienne**
et **Constant Sevin**
Dessin préparatoire pour la coupe Hope
1854
localisation actuelle inconnue

(**cat 57**) rejoint facilement la spectaculaire "coupe Hope" *(fig 46)*[97]. Mais Delacroix lui-même oublie le sujet de la peinture de Jollivet qu'il cite[98], et ne donne aucun titre à la composition qu'il imagine : or son *Saint-Georges combattant le dragon* (**cat 58**) fut souvent confondu avec un *Persée et Andromède* ou un *Roger et Angélique* ! Et l'on retrouve une confusion identique à propos de deux peintures de Maurice Denis (*fig 47* et **cat 59**). Le succès même de la représentation mise au point vers le milieu du XVIe siècle permet les dérapages de l'imaginaire et de l'interprétation.

L'*Hercule et Hésione* de Charles Le Brun que conserve le musée de Karlsruhe (**cat 60**) passa longtemps, lui aussi, pour une *Délivrance d'Andromède.* La composition avait été soigneusement préparée par des dessins (**cat 61**) et fut certainement célèbre puisque le peintre la répéta, à la voûte de l'hôtel Lambert, dans une toile destinée à Fouquet et dans le portrait de ce dernier. Nous avons déjà évoqué le rôle publicitaire que Le Brun entendait ainsi faire jouer au tableau : mais l'œuvre était aussi, croyons-nous, une allégorie politique. Depuis le début du XVIe siècle, en effet, le mythe d'Hercule avait été fréquemment associé, sous diverses formes, à la dynastie française[99] : la libération d'Hésione, et la victoire du héros sur le monstre, venaient rappeler les succès de la royauté contre la Fronde. Du même coup, Fouquet et Lam-

cat 58 **Eugène Delacroix**
Charenton-Saint-Maurice 1798-Paris 1863
Saint Georges combattant le dragon
papier sur toile
0,28×0,36 cm
sbg *Eug. Delacroix*
Musée du Louvre
Département des peintures
Inv R.F. 1395

historique
Peinte en 1847, la peinture est entrée au Louvre avec le legs Thomy Thiéry en 1902.

Plus souvent encore que l'*Angélique* d'Ingres, la peinture a été confondue avec un *Persée et Andromède* (ainsi, entre autres, par Alfred Robaut, dans son monumental et classique catalogue de l'œuvre de Delacroix !). L'armure du chevalier, sa monture qui n'a aucun des attributs de Pégase ne laissent pas de place au doute : il faut certainement chercher le point de départ d'une erreur si fréquente dans le corps à demi nu de la princesse, très différent des figures habituelles, pieuses et sévèrement enveloppées.

98 Ce *Persée et Andromède,* exposé au Salon de 1849 et acquis par l'État, a été détruit pendant la dernière guerre au musée des Beaux-arts de Metz.

99 *cf* Vivanti, 1967 ; Albouy, 1969, p 30-34 ; Bardon, 1974, p 42-43 et 49 ; Lecoq, 1987, p 67, 159, 206. Rappelons que l'évocation d'Hercule tenait une grande place à Vaux-le-Vicomte et dans les premiers projets destinés à la grande galerie de Versailles.

cat 59 **Maurice Denis**
Ceranville, Manche 1870-
Saint-Germain-en-Laye 1943
Saint Georges combattant le dragon
huile sur toile
0,56×0,91 m
Beauvais, Musée départemental
de l'Oise
Inv 79.15

historique
Peint en 1917.

Malgré la croix qu'on distingue sur la tunique du cavalier, le tableau a été considéré, jusqu'ici, comme une *Délivrance d'Andromède :* le nu féminin et le grand paysage marin (où Marie-José Salmon a reconnu Ploumanach) expliquent cette confusion.

Dans son *Saint Georges aux rochers rouges* de 1910 (au musée d'Angers) *(fig 47),* Denis rompt plus nettement avec la tradition de la *poesia* titanesque : des paysannes bretonnes assistent au combat, et la princesse prie, vêtue et agenouillée.

fig 47 **Maurice Denis**
Saint Georges aux rochers rouges
1910
Angers, Musée des beaux-arts

fig 48 **Claude Vignon**
Hercule vainqueur des monstres
1634
localisation actuelle inconnue

cat 60 Charles Le Brun
Paris 1619-1690
Hercule délivrant Hésione
huile sur toile
0,80×1,12 m
Karlsruhe
Staatliche Kunsthalle
Inv 2522

historique
acquis en 1965 sur le marché d'art new-yorkais (Jacques Seligman).

bibliographie
Lauts 1966
avec bibliographie antérieure ;
Simons-Kockel 1988, p 154-155.

La peinture – que Waagen (1857) considérait comme un *Persée et Andromède* – représente Hercule délivrant, avec l'aide de Télamon, Hésione exposée à un monstre marin par la faute de son père, le roi troyen Laomédon, qui avait offensé Poséidon (le sujet est tiré du livre XI des *Métamorphoses*).

A deux reprises, Le Brun peignit une composition toute semblable : d'une part à la voûte de la galerie de l'hôtel Lambert, où se déployait le mythe d'Hercule ; d'autre part, à l'arrière-plan de son portrait de Nicolas Fouquet (on ne distingue qu'un détail de la peinture, entourée d'un cadre sculpté).

Le Brun indiquait ainsi que son tableau – il devrait s'agir, malgré quelques différences, de la toile aujourd'hui à Karlsruhe – appartenait au tout-puissant surintendant des finances. Et l'on sait par ailleurs que l'histoire d'Hercule devait tenir au château de Vaux une place très importante.

Ce mythe était d'ordinaire associé à la royauté française et à ses origines légendaires. Mais il pouvait aussi s'appliquer à ses grands serviteurs : ainsi Vignon, en 1634, représente Richelieu en Hercule triomphateur des monstres *(fig 48)*.

Dans le cas présent, il est possible que Fouquet, comme le financier Lambert, ait voulu rappeler qu'il n'avait cessé d'être fidèle au roi durant les troubles de la Fronde et qu'il l'avait secondé dans ses travaux. Plus précisément, dans le portrait du surintendant, ce n'est pas le héros lui-même mais son compagnon Télamon qui est mis en évidence : c'est à ce dernier que Fouquet, serviteur fidèle, peut être associé. Et comme lui, qui recevra Hésione en mariage, il attend des mains de son Hercule sa récompense.

cat 61 **Charles Le Brun**
Hercule délivrant Hésione
sanguine sur papier beige
0,169×0,248 m
Musée du Louvre
Département des arts graphiques
Inv 29479.

historique
Entré dans le Cabinet du Roi en 1690, avec le fonds d'atelier du peintre.

exposition
Versailles 1963, n° 77.

Le dessin diffère des peintures qu'il prépare (*cf* le n° précédent) par de nombreux détails, notamment son orientation et la disparition, au premier plan, du personnage allongé vu de dos (sans doute quelque dieu fluvial) : la scène, moins encombrée, en devient plus lisible.

fig 50 **Pierre Mignard**
copie partielle d'après Titien
Vierge à l'Enfant avec un ange
Vienne, Albertina

fig 49 **Titien**
Sainte famille avec trois saints
Musée du Louvre

bert évoquaient discrètement la fidélité sans faille qu'ils avaient manifestée au monarque durant les troubles, et la part qu'ils avaient prise au triomphe de sa politique. Mais d'un autre côté l'histoire d'Andromède avait déjà été utilisée, elle aussi, pour l'exaltation des victoires du roi sur ses ennemis et ceux du royaume : "La déliurance de la France, par le Persée François" (**cat 62**) s'inscrit sans difficulté entre l'estampe de Bernard Salomon et la toile de Le Brun. L'illustration du passage des *Métamorphoses* trouve là un nouvel usage. "Ni tout à fait la même ni tout à fait une autre", décidément protéiforme, elle se prête à toutes les fonctions.

L'*Andromède* de Mignard réunit la plupart des virtualités du mythe ovidien, tout en récusant l'expression qui avait été le plus souvent la sienne (et avec quel succès !) depuis la Renaissance. Le peintre admirait Titien. Avec son *alter ego* Dufresnoy, il avait copié ses œuvres et fait le pélerinage de Venise, et sa connaissance intime des œuvres du maître était si notoire qu'on devait lui confier, en 1691, la restauration de sa *Sainte Famille avec trois saints* de la collection royale *(fig 49)*[100]. De plus le *Persée* peint pour Philippe II était bien connu à Paris, puisqu'il était un des joyaux de la collection La Vrillière[101], tandis qu'une réplique appartenant au roi décorait le grand appartement de Versailles[102].

cat 62 anonyme
France 1594
La deliurance de la France par le Persée François
bois
0,29×0,20 m
Paris, Bibliothèque nationale
Département des estampes et de la photographie
QB1 1598

bibliographie
Vivanti 1967, p 182-183 ;
Bardon 1974, p 133-135 reproduction en couverture ;
Jouhaud 1987, p 324-327.

Henry IV – Persée délivre Andromède – la France, sous les yeux d'une assistance aux costumes exotiques.

Un autre exemplaire de ce placard anonyme est conservé à la Bibliothèque nationale, dans le Recueil de Pierre de l'Estoile (*Les belles figures et drolleries de la Ligue,* Gd. fol. Rés. La25.6, fol. 31) : il porte l'adresse de l'éditeur : "A Paris, par Iean le Clerc, rue S. Iean de Latran, à la Salamandre.", le privilège et l'adresse : "Avec Priuilege du Roy. 1594."

La feuille se place à un moment bien précis : celui où Henri IV, après son entrée à Paris le 22 mars 1594, s'attache à rallier ses sujets, chasser les troupes étrangères, et reconquérir la totalité de son royaume. Les opérations militaires s'accompagnent d'une vaste entreprise de propagande dans laquelle, comme l'a noté Françoise Bardon, le thème de Persée et Andromède tient une grande place : il apparaît exactement à la même époque, par exemple, dans un poème de Jean Bertaut (1552-1611) adressé "Au Roy. Pour le convier de revenir à Paris apres la prise de Laon" (*cf Les Fleurs des plus excellents Poètes de ce Temps,* Paris, Nicolas et Pierre Bonfons, 1601, p 38-41 ; la citadelle de Laon était tombée le 22 juillet 1594).

Le mythe ovidien, grâce à la souplesse de sa représentation, peut ainsi accompagner l'actualité la plus immédiate. Mais, de façon plus large, il pouvait être utilisé – comme celui d'Hercule – pour célébrer le service de l'Etat et la défense du royaume : vers 1640, Laurent de La Hyre peindra pour Richelieu un *Persée armé par les dieux* dans la salle des Gardes du palais Cardinal (*cf* Thuillier et Rosenberg, dans le catalogue de l'exposition de Grenoble, Rennes et Bordeaux 1989, nº 106, p 178).

100 *cf* Engerand, 1899, p XXI et 80. Nous avons identifié, à l'Albertina, une copie partielle de Mignard d'après cette œuvre *(fig 50)* : elle comporte une importante variante, et fut sans doute dessinée à Rome, où le tableau était conservé, dans les collections Aldobrandini, puis Pamphili jusqu'en 1665.

101 *cf* Cotté, 1985, p 93 et Haffner, 1988, p 33 et *fig 6*.

102 *cf* Constans, 1976, nº 54, p 71 et Brejon, 1987, p 249, nº 199.

cat 63 **Pierre Mignard**
Copie d'après le décor de la Galerie Farnèse
plume, encre noire, lavis gris, traces de pierre noire sur papier blanc
0,295×0,440 m
Stockholm, Nationalmuseum
Inv CC 1691

historique
collection Cronstedt

Nous pensons qu'il faut donner à Mignard ce dessin que nous avons identifié parmi les anonymes du Nationalmuseum. Les sources attestent que l'artiste copia le décor de la galerie Farnèse : la feuille est le seul témoignage graphique direct qui nous soit parvenu de cet intérêt passionné.

Elle reproduit une partie des voussures du côté nord de la galerie, et devrait se placer dans les tout premiers temps de la carrière romaine de Mignard, arrivé dans la ville en 1635.

fig 51 **Annibal Carrache**
La délivrance d'Andromède
Rome, Palais Farnèse

Mais Mignard ne retint rien de ce modèle prestigieux.

Ses choix étaient tout autres. Chez Titien ou Véronèse la figure de l'héroïne occupe une place prépondérante, équilibre à elle seule le reste de la toile. Mignard, au contraire, fait de Persée l'axe de sa construction et répartit de part et d'autre des personnages assez nombreux : d'un côté Andromède isolée, et de l'autre le roi Céphée, la reine Cassiopée et toute leur suite. Cette tripartition, et le format en largeur de sa toile, avaient un précédent : à Rome, au début du siècle, sur un des murs formant le fond de la galerie Farnèse, Annibal Carrache avait installé au-dessus des portes une composition tout analogue *(fig 51)*, où des groupes clairement délimités s'articulent autour d'une figure centrale. Mignard modifie certaines données : ainsi son ordonnance en frise refuse tout effet de profondeur ; de même un grand mouvement emporte le groupe de gauche, vient buter contre la figure du héros, repart puis marque un temps d'arrêt qui dégage le corps nu de la princesse. Mais les grandes lignes de la fresque sont respectées[103] et l'on constate même que le peintre s'inspire directement d'Annibal dans certains détails. C'est le cas de la femme qui lève les bras au ciel, et surtout de l'Andromède elle-même : les ressemblances, ici, sont si étroites (dans la pose et le geste des bras, et les cheveux flottants) que l'on peut supposer

103 Rappelons que des copies de l'*Andromède* Farnèse étaient visibles à Paris : l'une au plafond (!) de la galerie des Ambassadeurs aux Tuileries (*cf* Sainte Fare Garnot, 1978 [1980], p 125), l'autre, plus logiquement, sur l'un des murs du fond de la galerie La Vrillière (*cf* Haffner, 1988, p 31 et Cotté, 1988, p 41).

cat 64 **Jacques Belly**
Chartres 1609-1647
Persée et Andromède
d'après la *Galerie Farnèse*
Paris, Bibliothèque nationale
Département des estampes
et de la photographie
AA *3* SN

exposition
Rome 1986, p 114-128.

Le recueil des 31 planches de Jacques Belly, édité en 1641, fut le premier à reproduire l'ensemble des peintures de la galerie Farnèse (rappelons que le Louvre conserve aussi de cet artiste un album de copies dessinées d'après les réalisations du Primatice à Fontainebleau : soit l'autre modèle, universellement admiré, du grand décor).

Entre 1636 et 1640, le graveur avait fait partie, à Rome, de la suite de l'ambassadeur d'Estrées : ce dernier, logé au Palais Farnèse, était aussi en rapport avec Mignard, auquel il passa commande, et le peintre était donc tout à fait à même d'accéder à la galerie, et de l'étudier directement.

cat 65 **Annibal Carrache**
Bologne 1560-Rome 1609
Andromède
plume et encre brune
0,148×0,098 m
Musée du Louvre
Département des arts graphiques
Inv 7303.

historique
Cabinet du roi

bibliographie
Martin 1965,
p 233 et n° 141, p 274-275

exposition
Paris 1961, n° 85

Mignard, grand collectionneur de dessins des Carrache, avait notamment recueilli, à Rome, le fonds de Francesco Angeloni qui comprenait l'ensemble des esquisses préparatoires à la galerie Farnèse.

Rien n'assure que la présente feuille lui ait appartenu. Mais il nous paraît hors de doute, tant les ressemblances avec la toile du Louvre sont étroites, que le peintre eut entre les mains quelque esquisse analogue, dessinée par Annibal lui-même pour sa figure d'Andromède.

fig 52 **Guido Reni**
Persée et Andromède
Rome, Galerie Pallavicini

fig 53 **Guerchin**
Persée et Andromède
Gênes, Palais Balbi Senarega

fig 54 **Alessandro Turchi**
Persée et Andromède
Cassel, Schloss Wilhelmshöhe

que Mignard a eu entre les mains non seulement une copie dessinée (**cat 63**) ou gravée (**cat 64**) de la galerie mais une esquisse préparatoire du Carrache lui-même (**cat 65**).

D'autre part, le coloris clair et raffiné de la toile, marqué par des juxtapositions audacieuses et agaçantes à la Romanelli, est très éloigné des tonalités chaudes et assourdies chères à Venise. Le rejet de l'archétype renaissant est donc complet. Et ce refus nous paraît d'autant plus remarquable que le décor Farnèse, malgré son universelle célébrité, n'avait pas eu, pour ce qui concerne la représentation de Persée et Andromède, grande postérité : les grands Bolonais eux-mêmes, Reni comme Guerchin, s'en étaient écartés *(fig 52 et 53)* et l'on ne voit guère que Turchi, en dehors de Mignard, qui en ait fait le point de départ de sa création *(fig 54)*. Mais la peinture du Louvre a encore une particularité décisive : il s'agit en effet d'un *hapax,* d'un objet dont il n'existe qu'un exemplaire. Jamais aucun peintre, à notre connaissance, n'a représenté le moment choisi par Mignard, c'est-à-dire celui des remerciements du roi et de la reine. D'Ovide à Saint-Amant, de Corneille à Quinault, la littérature ne s'attarde guère à ces instants de moindre tension[104], et l'épisode est même supprimé dans les *Tableaux de platte peinture* de Blaise de Vigenère (**cat 66**), que l'artiste utilisa vraisemblablement. Tout à fait originale dans

104 Si l'*Ovide bouffon* de Richer (1649) donne une description burlesque de ces remerciements, Saint-Amant (1629) ne leur consacre que quelques vers.

254 PERSEVS.

La teste de Meduse
Convertit en rocher
Quiconque s'y amuse,
Ou qui l'ose approcher :
Mais celuy qui la porte
N'a pas l'ame plus forte.

Car s'il peut bien dompter
L'effroyable Gorgonne,
Il ne peut surmonter
L'amour qui l'environne :
Celuy fut son vainqueur
Qui luy navra le cœur.

PERSEVS

PERSEVS. 255

PERSEVS
ARGVMENT.

Acrisius Roy des Argiues eut vne prediction de l'oracle, que de sa fille Danaé devoit naistre vn enfant qui le mettroit à mort : parquoy il la fit renfermer en vne chambre toute treillissée à l'entour de gros barreaux de fer. Mais Iupiter en estant devenu amoureux se transforma en vne pluye d'or, qui se coula dedans ceste maniere de Geolle, & aussi geut avec elle, qui demeura grosse de Perseus. Cela venu à la cognoissance du pere, tout aussi tost qu'elle fut delivrée de sa creature, il les fit enfermer tous deux en vn coffre de bois bien clos & fermé de toutes parts, & puis les ietter en la mer à la mercy des vagues, dont ils furent poussez en l'Isle de Seriphe, où regnoit lors Polydectes fils de Neptune, & de Cerebee, ayãt avec luy vn sien frere nommé Dictys. Ce Dictys nourrit fort soigneusement Perseus, ny plus ny moins que s'il eust esté son fils propre, tant qu'il vint en aage d'adolescẽce. Sur ces entrefaites Polydectes qui brusloit de l'amour de Danaé, sans qu'elle voulust aucunement condescendre à son desir, voyant que s'il en esperoit avoir quelque chose, il faloit que ce fust de force, ce qu'il ne pourroit faire bien seurement s'il n'en esloignoit son fils qui estoit desia grandelet, feignit d'avoir affaire de quelques presens pour donner à Hippodamie, dont il pourchassoit le mariage ; & là dessus il depescha Perseus aux Gorgones, pour luy apporter la teste de Meduse, qu'Hippodamie (ce disoit-il) desiroit avoir. Il fit cela en intention que Perseus ne reschaperoit iamais qu'il ne fust mis à mort des Gorgones ; parquoy il auroit beau moyen puis apres de iouyr de sa mere tout à son aise, mais il en advint autrement qu'il ne pourpensoit, car Perseus estant arrivé aux Gorgones, surprit d'arrivée Pephredo, & Enyo, deux des sœurs, & leur osta l'œil & la dent dont elles se servoient l'vne apres l'autre à tour de roolle, n'en ayãt qu'vn seul, & ne les leur voulut rẽdre qu'elles ne l'eussent mené aux Nymphes ; qui luy donnerent vne chaussure empennée d'aisles, le cabasset de Pluton, le coutelas courbé de Mercure, nommé Harpé, d'vn fin diamant, & le grand mirouer de Minerve, pour luy servir de pavois. Puis ainsi equippé s'envola par l'air aux Gorgones habitantes certaines Isles de la grand mer Oceane, monstrueuses creatures au possible : qui avoient les testes de Dragons, couvertes, & le reste du corps encore, de grosses escailles ; & en lieu de cheveux innumerables couleuvres & serpents : les dents comme les deffences d'vn Sanglier, d'vn acier aceré : avec de grandes aisles sur le dos. De bonne fortune les ayant trouvées endormies, il couppa la teste à Meduse, se gardant bien de la regarder autrement que de la reflexion du mirouer de Minerve ; car s'il l'eust apperceu de droit œil, il s'en alloit

Y ij

cat 66 **Blaise de Vigenère**
Saint-Pourçain 1523 ?-Paris 1596 ?
Les images ou tableaux de platte peinture des deux Philostrates sophistes grecs et les statues de Callistrate. Mis en François par Blaise de Vigenère Bourbonnois Enrichis d'Arguments et Annotations Revues et corrigez sur l'original par un docte personnage de ce temps en la langue grecque et representez en taille douce en cette nouvelle édition Avec des Epigrammes sur chacun d'iceux par Artus Thomas sieur d'Embry,
Paris, Claude Sonnius, 1637,
pièces limin., 921 p, fol.
Paris, Bibliothèque nationale
Département des imprimés
z 562 fol.

Nous présentons l'édition de 1637 de ce livre célèbre (elle figure bien en vue dans l'estampe où Abraham Bosse, à peu près à la date de sa parution, représente la *Galerie du Palais* et sa boutique de libraire à la mode). L'épître dédicatoire en est adressée à Henry de Bourbon, père du Grand Condé.

Mignard pourrait bien l'avoir directement utilisée, et s'être inspiré de la gravure de Jaspar Isac qui représente Persée et Andromède : si le tableau du Louvre est, dans l'ensemble, tout différent, on retrouve dans les deux cas le petit Amour occupé à délivrer la princesse de ses chaînes.

fig 55 **Michel II Corneille**
La gloire du Grand Condé
1691
Chantilly, musée Condé

l'ordre artistique, l'œuvre ne l'est donc pas moins par son thème : véritable *unicum,* elle est singulière à tous égards.

Le choix d'un sujet si rare n'était pas, croyons-nous, l'effet d'une fantaisie individuelle, ni d'une volonté de se mettre à l'écart du commun des peintres. Les raisons en sont ailleurs. Quelques années après l'*Andromède,* un tableau de Michel Corneille fut placé à Chantilly *(fig 55).* Son étrangeté ne peut manquer de frapper. Le Grand Condé y est représenté en *imperator* qui, d'une main, empêche une Renommée d'emboucher sa trompette, tout en donnant l'envol à une seconde dont le phylactère proclame "Quantum poenituit". Les raisons de ce repentir sont inscrites sur d'autres banderoles qui jonchent le sol et sur les pages que l'Histoire, juchée sur le dos du Temps, arrache à son livre : toutes, en effet, portent les noms des combats que Condé avait livrés durant les années qu'il passa, contre le roi, au service de l'Espagne[105]. Ainsi en 1691 la Fronde et ses errements restaient extraordinairement présents[106]. Et, plusieurs décennies après les troubles, c'est par une allégorie que l'on pouvait évoquer les "éclipses" de cet "astre" qu'avait été le Grand Condé[107].

Mais la personne du Premier prince du sang pouvait susciter d'autres évocations, faire naître d'autres fictions. On a relevé naguère que la bataille d'Almaras, imaginée par Mme de La Fayette dans son

105 Sur la toile de Corneille, *cf* Châtelet, 1970, n° 96.

106 *cf* Truchet, 1989.

107 Ces expressions sont de Bourdaloue (cité par Truchet, 1989, p 397). En revanche, plusieurs raisons interdisent, selon nous, de trouver dans le groupe du *Combat des animaux,* au Labyrinthe de Versailles, une allusion aux volte-face de Condé pendant la Fronde (nous ne pouvons suivre, sur ce point, l'ingénieuse hypothèse de Betsy Rosasco, 1989).

roman de *Zaïde* (1670-1671), ressemble fort à celle de Rocroi, et que Bossuet pourrait s'être inspiré de cette description dans un célèbre passage de son oraison funèbre de Condé : de fait, dans cette "histoire espagnole", les aventures de Consalve semblent transcrire les exploits de M. le Prince[108]. Le Grand Condé héros de roman ? L'idée venait d'elle-même à l'esprit des lecteurs de Scudéry, de La Calprenède ou de l'*Amadis des Gaules*[109]. Mais cette société pouvait trouver dans la littérature des Anciens d'autres références. Puget de La Serre avait déjà fait le parallèle, à la Plutarque, d'Alexandre et de Condé[110]. De même la comparaison était, croyons-nous, inévitable entre "ce prince, que l'on regardait comme le héros de son siècle" (Bossuet)[111] et "Persée, le plus grand des héros" (Homère). Chantilly offrait d'ailleurs des exemples d'assimilation analogues : le *Vénus dans la forge de Vulcain* de Le Brun est-il rien d'autre, en définitive, qu'une évocation indirecte d'Énée, à qui les armes fabriquées par le dieu sont destinées ? Mais l'héroïsation du vainqueur de Rocroi présentait un autre avantage : celui de l'éloignement. A une époque où tout était ramené à la gloire de Louis XIV, il aurait été délicat d'évoquer la reconnaissance due par le monarque à celui qui avait sauvé son royaume. L'humble attitude de Céphée, le corps qui se plie sous le manteau royal, la tête couronnée qui se penche pour embrasser la

108 *cf* sur ce point l'introduction aux *Romans et Nouvelles* de Mme de La Fayette (Paris, 1989, p XXIII-XXIV), dans laquelle Alain Niderst reprend à son compte les remarques de Joseph Hanse ("Rocroi, le *Grand Cyrus, Zaïde* et Bossuet", *in Les Lettres romanes,* 1er mai 1954, p 115-138).

109 Elle semblait même si naturelle que la propagande politique n'avait pas manqué d'en user pendant la Fronde : *cf* Bercé, 1989.

110 *Les Parallèles d'Alexandre le Grand et de Monseigneur le duc d'Anguien,* de Jean Puget de La Serre, sont de 1645 (sur ce thème, *cf* l'étude de Chantal Grell et Christian Michel, 1988).

111 *cf* l'oraison funèbre d'Anne de Gonzague, princesse de Clèves, prononcée le 9 août 1685 (*in Oraisons funèbres,* Paris, 1987, p 264).

cat 67 **Antoine Masson**
Loury, Loiret 1636-Paris 1700
d'après Pierre Mignard
Marin Cureau de La Chambre
1665
Paris, Musée du Louvre
Département des arts graphiques
collection Edmond de Rothschild
Inv 15538 LR

Protégé du chancelier Séguier, conseiller d'Etat et membre de l'Académie française en 1635, Marin Cureau de La Chambre (1594-1669) est l'auteur de plusieurs traités dans lesquels il développe la théorie cartésienne des "passions" (son *Art de connoistre les hommes,* par exemple, fut plusieurs fois réédité à partir de 1659).

Toute l'époque était passionnée par ces problèmes. Mais l'étude de la façon dont les mouvements du corps traduisent ceux de l'âme intéressait les peintres au premier chef, et l'on sait que Le Brun, à ce sujet, prononça des conférences et publia un *Traité des passions* illustré.

L'*Andromède* de Mignard fait écho, de façon particulièrement nette, à ces recherches sur l'expression des sentiments.

main du héros, sont des audaces que le travestissement mythologique pouvait seul autoriser.

Il n'est peut-être pas impossible d'identifier tel ou tel texte utilisé par Mignard dans l'élaboration de son tableau : par exemple la figure de l'Amour qui s'affaire à détacher la princesse de ses chaînes nous semble empruntée, tant le dessin en est proche, à la gravure de Jaspar Isac pour le grand livre de Vigenère (**cat 66**) ; de même le détail "archéologique" de la face de Minerve *renversée* vers le sol pour ne pas aveugler les spectateurs est tiré de Du Ryer (**cat 49**). D'un autre côté, la mise au point d'une iconographie si particulière, si exactement ajustée à la destination de la peinture, était sans doute issue d'un travail spécifique du milieu Condé. Mais nous croyons qu'il faut aller plus loin et que la conception, la construction même du tableau répondent à une volonté précise d'analyse psychologique, d'expression des "characteres des passions". Il nous paraît remarquable que chez Titien comme chez Véronèse la face de Persée soit invisible. Chez Mignard, au contraire, les figures sont dégagées, installées bien en vue et chacune d'elles exprime clairement, par ses traits et son attitude, les sentiments qui l'agitent : amour naissant ou magnanimité, remerciement respectueux ou gratitude éperdue, empressement ou affolement, effarement ou attention soutenue...

On entre ici dans le monde des traités par lesquels un Cureau de La Chambre (**cat 67**) tâche de rendre compte du "système de l'âme", analyse les rapports de l'esprit et du corps, tente de mettre au jour les ressorts de la machine humaine. De même l'élan qui précipite les personnages depuis la gauche de la toile, les grandes obliques qui en marquent l'accélération, semblent vouloir montrer l'action dans son développement, la représenter avec son début et sa fin, l'installer - comme s'il s'agissait d'un récit - dans la temporalité : de la *poesia* **68** on passe à la *favola*. "Les beaux traits de la Peinture jettent dans l'esprit quelque idée du mouvement et des paroles", écrivait un théoricien contemporain[112] : l'*Andromède* est comme l'illustration de ce propos. Elle est au cœur des préoccupations de son temps.

La toile du Louvre est le seul nu féminin qui nous soit parvenu de Mignard. De l'érotisme à l'allusion politique, il n'était pas de domaine où elle ne proposât des solutions fortes. Il nous semble, en définitive, qu'un tel tableau répondait précisément à l'attente des écrivains et des lettrés qui se réunissaient autour de Condé. Mignard paraît avoir fait siennes leurs conceptions, tenter de répondre à leurs exigences. Mais s'il adapte sa création, c'est pour rivaliser avec eux, et l'*ut pictura poesis* prend ici un sens précis. Le merveilleux – le corps, à peine visible, du monstre ou l'aile de Pégase, d'un admirable dessin – est

112 *cf* Carel de Sainte-Garde, 1676, p 154-155. Sur ces problèmes, *cf* notamment Thuillier, 1967.

cat 68 **Jacques Couché**
né en 1750
La Galerie du Palais-Royal
Paris, Bibliothèque nationale
Département des estampes et de la photographie
SA 41

Publiée en trois volumes, sous la direction de Couché, entre 1786 et 1808, la *Galerie du Palais-Royal* offrait la reproduction, en 335 estampes, de la célébrissime collection de tableaux de la Maison d'Orléans.

L'*Andromède* du Titien y figurait en bonne place, avant que cet ensemble hors du commun (il s'agissait d'une des plus belles galeries d'Europe) ait été dispersé, en Angleterre, en 1792.

Bien après l'estampe de Fontana (1562), la feuille de Couché prolongeait la fascination exercée par le chef-d'œuvre.

ostensiblement relégué dans les marges de la composition. Et l'on est loin, avec l'*Andromède,* de la farouche et sauvage grandeur par laquelle, une quarantaine d'années plus tôt, la *Cléopâtre* rejoignait le stoïcisme du *Germanicus* de Poussin[113]. La toile de 1679 propose un modèle de héros tout différent, et tout opposé aussi au demi-dieu royal que Le Brun, au même moment, s'apprêtait à installer à la voûte de la galerie des Glaces et qui, cornélien, maître de soi comme de l'univers, "gouverne par lui-même"[114]. Persée, après sa victoire, n'est plus monté sur Pégase. Il est placé sur la même ligne que les autres personnages. Désignant la princesse – *"pretiumque et causa laboris"* – comme la cause et la récompense de son exploit, il n'échappe pas à la "génération perpétuelle de passions"[115] qui anime le cœur humain et il semble dire, avec l'auteur des *Maximes,* que "les héros sont faits comme les autres hommes"[116]. On reconnaît là le pessimisme, et la perte des illusions aristocratiques, qui sont la marque de l'époque, et cette "démolition du héros"[117] qui trouve chez La Rochefoucauld, précisément, sa formulation la plus nette.

Mélange de célébration et de lucidité, rencontre du sublime et de la faiblesse, l'*Andromède* est à la fois l'émanation d'un milieu donné et l'expression des tendances neuves de la sensibilité. Mais son protagoniste héroïque et tendre, la perfection auda-

113 "Ce tableau a été étudié par Pierre Rosenberg et Nathalie Volle dans le 6e dossier du Département des peintures (1973)."

114 Rappelons que "Le Roi gouverne par lui-même, 1661" est le titre d'un des grands compartiments de la galerie versaillaise.

115 *cf* La Rochefoucauld, maxime 174 (*in Œuvres complètes,* Paris, 1964, p 370).

116 *Ibid* maxime 201, p 374.

117 *cf* le livre classique de Paul Bénichou (1948 ; édition Paris, 1967, p 155-180).

cieuse de la peinture – que l'on considère l'accord du rouge, pas vraiment vermillon, sur le citron de la cuirasse ! – rappellent une autre poésie, suggèrent un autre rapprochement. Lors de la grande Querelle de 1682, Mignard fut comparé à Corneille, et Le Brun à Racine[118]. Parallèle tout polémique : il s'agissait, pour les ennemis du peintre, d'opposer les fautes du vieux poète à la perfection de son rival. Il faut renverser la comparaison, tant le créateur de l'*Andromède* – déjà âgé, pourtant, et paradoxalement fidèle à toutes les traditions artistiques – se révèle apte à traduire la nouvelle culture. Mignard, ou notre seul peintre racinien.

118 *cf* Picard, 1962.

Actes du colloque
L'âge d'or du mécénat, 1598-1661,
1983
Paris, Éditions du C N R S, 1985

Actes du colloque
La France et l'Italie au temps de Mazarin,
1985
Grenoble, Presses Universitaires de Grenoble, 1986

Actes du colloque
La Fronde en questions,
1988
Aix-en-Provence, Université de Provence, 1989

Actes du colloque
Seicento
La peinture italienne du XVIIe siècle et la France,
1988
Paris, Documentation française, 1990, à paraître

Actes du colloque
Un nouveau Colbert,
1983
Paris, S E D E S-C D U, 1985

Albouy Pierre
Mythes et mythologies
dans la littérature française
Paris, Armand Colin, 1969

Amand Marie-France
Le marquis de Seignelay, 1651-1691
Mémoire de maîtrise dactylographié,
Université de Paris-IV,
directeur Jean Meyer, 1982

Amielle Ghislaine
Recherches sur des traductions françaises
des Métamorphoses d'Ovide illustrées et publiées
en France à la fin du XVe siècle et au XVIe siècle
Paris, Jean Touzot, 1989

Antonini abbé Annibale
Mémorial de Paris et de ses environs
Nouvelle édition considérablement augmentée
Paris, Bauche fils, 1749, 2 volumes

Bapst Germain
"Coysevox et le Grand Condé"
G B A, mars 1892, p 212 à 224

Bardon Françoise
Le portrait mythologique à la Cour de France
sous Henri IV et Louis XIII
Mythologie et Politique
Paris, A. et J. Picard, 1974

Bean Jacob avec la collaboration de
Lawrence Turčic
15th-18th century French drawings
in the Metropolitan Museum of Art
New York, The Metropolitan Museum of Art, 1986

Beaulieu Michèle
"L'Andromède de Robert Le Lorrain"
Revue du Louvre,
n° 4, 1979, p 291 à 293

Beaulieu Michèle
Robert Le Lorrain, 1666-1743
Neuilly-sur-Seine, Arthéna, 1982

Bénichou Paul
Morales du grand siècle
Paris, Gallimard, 1947

Benoist Luc
Coysevox
Paris, Plon, 1930

Bercé Yves-Marie
"Les princes de Condé héros de roman :
la princesse amazone et le prince déguisé"
Actes du colloque
La Fronde en questions,
1989, p 131 à 141

Berès Pierre
Beaux livres des XVIIe
et XVIIIe siècles
Paris et New York,
Pierre Berès, catalogue 59, sans date [1958 ?]

Berger Georges
L'École française de peinture
depuis les origines jusqu'à
la fin du règne de Louis XIV
Paris, Hachette, 1879

Beyer Victor et **Bresc** Geneviève
Au musée du Louvre
La sculpture française du XVIIe siècle
Gorle, Grafica Gutenberg, 1977

Blanc Charles
Histoire des peintres de toutes les écoles.
École française.
Pierre Mignard, dit le Romain
Paris, sans date [1854]

Boinet Amédée
Catalogue des œuvres d'art
de la bibliothèque Sainte-Geneviève
Paris, 1924, extrait des
Mémoires de la Société de l'Histoire
de Paris et de l'Ile-de-France,
t XLVII, 1920

Bonnaffé Edmond
Dictionnaire des Amateurs français
au XVIIe siècle
Paris, A. Quantin, 1884

Bossuet Jacques-Bénigne
Oraison funèbre de très haut et très puissant
prince Louis de Bourbon prince de Condé,
premier prince du sang
Prononcée dans l'Église de Nostre-Dame
de Paris le 10. jour de Mars 1687
Paris, Sébastien Mabre-Cramoisy, 1687
Édition des *Oraisons funèbres de Bossuet*
par Jacques Truchet, Paris, Garnier, 1987

Bourdelot abbé Pierre Michon dit
Relation des assemblées faites à Versailles
dans le grand Appartement du Roy
pendant le Carnaval de l'an 1683...
Paris, Pierre Cottard, 1683

Boyer Jean-Claude
"L'Inventaire après décès
de l'atelier de Pierre Mignard"
B S H A F,
1980 [1982], p 137 à 165

Boyer Jean-Claude
"Les représentations guerrières et l'évolution
des arts plastiques en France au XVIIe siècle"
XVIIe siècle, n° 148,
juillet-septembre 1985,
Présence de la guerre au XVIIe siècle,
p 291 à 305

Boyer Jean-Claude
"Le discours sur la peinture en France
au XVIIe siècle : de la subordination à l'autonomie"
Quaderni del Seicento francese, 7,
Storiografia della critica francese nel Seicento,
Bari et Paris, 1986

Boyer Jean-Claude
"Quatre lettres de Pierre Mignard"
A A F, nouvelle période, t XXIX,
Correspondances d'artistes des XVIIe, XVIIIe, XIXe
et XXe siècles appartenant à la fondation Custodia
et conservées à l'Institut néerlandais à Paris,
1988, p 11 à 15

Boyer Jean-Claude
"Peintures italiennes et négoce parisien au XVIIe siècle :
figures du marchand de tableaux"
Actes du colloque *Seicento,* 1988,
Paris, Documentation française, 1990, à paraître

Brejon de Lavergnée Arnauld
L'inventaire Le Brun de 1683.
La collection des tableaux de Louis XIV
Paris, Éditions de la Réunion des musées nationaux,
notes et documents des musées de France, 1987

Brejon de Lavergnée Barbara
Musée du Louvre, Cabinet des dessins
Inventaire général des dessins
École française. Dessins de Simon Vouet, 1590-1640
Paris, Éditions de la Réunion des musées nationaux, 1987

Cantarel-Besson Yveline
La naissance du musée du Louvre.
La politique muséologique sous la Révolution
d'après les archives des musées nationaux
Paris, Éditions de la Réunion des musées nationaux,
notes et documents des musées de France,
1981, 2 volumes

Carel de Sainte-Garde
Réflexions Académiques sur
les Orateurs et sur les Poetes
Paris, Christophe Remy, 1676

Caylus A C P de
"Vie de Pierre Mignard, Premier peintre du roi"
dans F.B. **Lépicié**
Vie des premiers peintres du Roi,
depuis M. Le Brun jusqu'à présent,
Paris, Durand et Pissot fils, 1752,
1er volume, p 104 à 178

Celisceva L.
"Œuvres d'Anton Raphaël Mengs
dans les collections du musée de l'Académie
des beaux-arts de Léningrad", en russe
Iskusstvo, 1980, n° 9, p 61 à 67

Chabert Jean-Claude
Galerie des peintres ou Collection de Portraits
des Peintres les plus célèbres de toutes les écoles
Paris, Chabert, sans date [1826], 3 tomes

Charavay E., **Menu** H., **Guiffrey** J.
"Ouvrages du peintre Jean Jouvenet
pour le prince de Conti, 1689-1697.
Pièces communiquées par MM. E. Charavay et H. Menu,
commentées par J.J. Guiffrey"
N A A F, 1877, p 172 à 183

Châtelet Albert
Chantilly, musée Condé
Peintures de l'École française...
avec F.-G. Pariset et R. de Broglie
Paris, Éditions des musées nationaux, 1970

Constans Claire
"Les tableaux du Grand Appartement du Roi"
Revue du Louvre, n° 3, 1976, p 157 à 173

Corvisier André
Louvois
Paris, Fayard, 1983

Cosnac Gabriel-Jules de
Les richesses du Palais Mazarin
Paris, Renouard, 1874

Cotté Sabine
"Inventaire après décès
de Louis Phélypeaux de La Vrillière"
A A F, nouvelle période, t XXVII, 1985,
L'Art à l'époque du cardinal de Richelieu,
p 89 à 100

Cotté Sabine
"Un exemple du *goût italien :*
la galerie de l'hôtel de La Vrillière à Paris"
dans le catalogue de l'exposition de Paris,
1988-1989, p 39 à 46

Courajod Louis
"Portrait du Grand Condé au musée du Louvre,
par Antoine Coysevox"
Revue de Champagne et de Brie,
t III, 2e année, 2e semestre 1877,
p 240 à 242

Courboin François
Histoire illustrée de la gravure en France
Paris, Le Garrec, 1923-1926, 3 tomes

Couton Georges
Édition des *Œuvres complètes*
de Pierre Corneille
Paris, Gallimard, t II, 1984

Delmas Christian
Édition de l'*Andromède. Tragédie*
de Pierre Corneille
Paris, Marcel Didier, 1974

Delmas Christian
"Corneille et l'Opéra italien"
Actes du colloque
L'Italie et la France au temps de Mazarin,
1986, p 391 à 398

Dézallier d'Argenville Antoine-Joseph
Abrégé de la vie des plus fameux peintres...
Paris, De Bure l'aîné, 1745-1752, 3 volumes

Dézallier d'Argenville Antoine-Joseph
Abrégé de la vie des plus fameux peintres...
Paris, De Bure l'aîné, 1762,
nouvelle édition, 4 volumes

Dézallier d'Argenville Antoine-Nicolas
Description sommaire des ouvrages de peinture, sculpture et gravure exposés dans les salles de l'Académie royale
Paris, De Bure le père, 1781, réédition par A. de Montaiglon, 1893

Dimier Louis
Histoire de la peinture française du retour de Vouet à la mort de Lebrun, 1627 à 1690
Paris et Bruxelles, G. Van Oest, t II, 1927

Engerand Fernand
Inventaire des tableaux du Roy rédigé en 1709 et 1710 par Nicolas Bailly...
Paris, Ernest Leroux, 1899

Erlande-Brandenburg Alain
Musée national de la Renaissance Château d'Écouen, guide
Paris, Éditions de la Réunion des musées nationaux, 1987

Félibien André
Entretiens sur les vies et sur les ouvrages des plus excellens peintres anciens et modernes
Paris, Sébastien Mabre-Cramoisy puis veuve de Sébastien Mabre-Cramoisy, 1685 et 1688, 2 tomes, 2e édition

Félibien Jean-François
Description sommaire de Versailles ancienne et nouvelle. Avec des figures...
Paris, Antoine Chrétien, 1703

Fenaille Maurice
État général des tapisseries de la manufacture des Gobelins depuis son origine jusqu'à nos jours
Paris, Imprimerie nationale, t I, *Période Louis XIV, 1622-1699,* 1903

Fillon Benjamin
Lettres écrites de la Vendée à M. Anatole de Montaiglon
Paris, Tross, 1861

Focillon Henri
La peinture au XIXe siècle Le retour à l'Antique Le Romantisme
Paris, Renouard et Laurens, 1927

Fontaine André
"A propos des portraits de Mignard"
B S H A F, 1908, p 16 à 19

Fontaine André
Les collections de l'Académie royale de peinture et de sculpture
Paris, H. Laurens, 1910

Fontaine André
Académiciens d'autrefois
Paris, H. Laurens, 1914

Francastel Pierre
"Relation de la visite de Nicodème Tessin à Marly, Versailles, Clagny, Rueil et Saint-Cloud en 1687"
Revue de l'Histoire de Versailles et de Seine-et-Oise, 1926, p 150 à 167 et 274 à 300

Furcy-Raynaud Marc
"Deux tableaux de Rigaud au musée du Louvre"
B S H A F, 1913, p 54 à 57

Garnier Nicole
Antoine Coypel, 1661-1722
Paris, Arthéna, 1989

Ginzburg Carlo
"Tiziano, Ovido e i codici della figurazione erotica nell' 500"
dans *Tiziano e Venezia, Convegno internazionale di studi,* Venise, 1976 [1980] repris dans *Mythes, Emblèmes, Traces. Morphologie et histoire,*
Paris, Flammarion, 1989, p 113 à 137

Göbel Heinrich
Wandteppiche
Leipzig, Klinkhardt et Biermann, IIe partie, *Die romanischen Länder,* t I

Grell Chantal et **Michel** Christian
L'École des princes ou Alexandre disgrâcié. Essai sur la mythologie monarchique de la France absolutiste
Paris, Les Belles Lettres, 1988

Grivel Marianne
"Le Cabinet du Roi"
Revue de la Bibliothèque nationale, nº 18, hiver 1985, p 36 à 57

Grouchy Emmanuel-Henri, vicomte de
"Gérard Audran. Marché pour la gravure de la Petite Galerie de Versailles peinte par Mignard, 17 juin 1686"
N A A F, 1892, p 167 à 169

Grouchy Emmanuel-Henri, vicomte de
"Marché conclu entre Charles Simonneau et Louvois pour la gravure des peintures de la Grande Galerie de Versailles"
N A A F, 1892, p 67 à 69

Guérin Nicolas
Description de l'Académie royale des arts de peinture et de sculpture
Paris, Jacques Collombat, 1715 réédition par A. de Montaiglon, 1893

Guiffrey Jean, **Marcel** Pierre, **Rouchès** Gabriel
Inventaire général des dessins du musée du Louvre et du musée de Versailles École française, t X
Paris, Albert Morancé, sans date [1927]

Guiffrey Jules
Comptes des Bâtiments du Roi sous le règne de Louis XIV
Paris, Imprimerie nationale, 1881-1901, 5 volumes

Haffner Christel
"La Vrillière, collectionneur et mécène"
dans le catalogue de l'exposition de Paris, 1988-1989 »
p 29 à 38

Henkel M D
"Illustrierte Ausgaben von Ovids Metamorphosen im XV, XVI und XVII Jahrhundert"
Vorträge der Bibliotek Warburg, 1926-1927, 1930, p 58 à 144

Hepp Pierre
"Un Mignard oublié"
tapisseries exposées au musée de Versailles
L'Art et les Artistes, t XII, octobre 1910, p 33 à 36

Hourticq Louis
"Promenades au Louvre — Le portrait de Mignard"
Revue de l'Art ancien et moderne, vol XXXIX, 1921, p 150 à 162

Huisman Philippe
"Les bustes de Pierre Mignard"
G B A, t LI, 1958, p 267 à 272

Ingamells John
"*Perseus and Andromeda* : the provenance"
The Burlington Magazine, juillet 1982, p 396 à 400

Jouhaud Christian
"Lisibilité et persuasion. Les placards politiques"
Les usages de l'imprimé, sous la direction de Roger Chartier
Paris, Fayard, 1987, p 309 à 342

Jouin Henry
Notice historique et analytique des peintures, sculptures, tapisseries, miniatures, émaux, dessins, etc. exposés dans les galeries des portraits nationaux du palais du Trocadéro
Paris, Imprimerie nationale, 1879

Keller-Dorian Georges
Antoine Coysevox, 1640-1720
Paris, 1920, 2 tomes

La Gorce Jérôme de
Berain, dessinateur du Roi-Soleil
Paris, Herscher, 1986

La Gorce Jérôme de
"Torelli et Carlo Vigarani initiateurs
de la scénographie italienne en France"
Actes du colloque *Seicento,* 1988,
à paraître en 1990

Lacordaire A L
*Notice historique sur les manufactures
impériales de tapisseries des Gobelins
et de tapis de la Savonnerie...*
Paris, A la manufacture des Gobelins, 1853

Lafond Paul
"Les Tapisseries du château de Pau"
L'Art, t LV, 1893, p 177 à 180

Lagrange Léon
G B A,
t XVIII, 1865, p 569

Landon Charles-Paul
*Annales du Musée et
de l'École moderne des beaux-arts...
Seconde collection. Partie ancienne...*
Paris, l'auteur, 1810-1821, 4 volumes

Lastic Georges de
"Propos sur Nicolas de Largillierre
en marge d'une exposition"
Revue de l'Art,
n° 61, 1983, p 73 à 82

Laurent Jacques
*La feste royale de S. Cloud,
et ce qui s'y est passé depuis
le 10. Octobre jusqu'au 15. Dédiée
à S.A.R. Monseigneur le Duc de Chartres.
Par le Sieur Laurent*
Paris, Antoine de Rafflé, 1678

Lauts Jan
*Staatliche Kunsthalle Karlsruhe —
Katalog Alte Meister bis 1800*
Karlsruhe, Vereinigung der Freunde
des staatlichen Kunsthalle, 1966

Le Brun-Dalbanne
*Étude sur Pierre Mignard : sa vie,
sa famille et son œuvre*
Paris, Rapilly, 1878

Le Comte Florent
*Cabinet des singularitez d'architecture,
peinture, sculpture et graveure.
Ou introduction à la Connoissance des plus Beaux Arts,
figurés sous les Tableaux, les Statues & les Estampes.
Par Florent le Comte sculpteur, & Peintre, etc.*
Bruxelles, Lambert Marchant, 1702, 3 tomes, 2e édition

Le Maire
*Paris ancien et nouveau.
Ouvrage tres-curieux,
Avec une description nouvelle
de ce qu'il y a de plus curieux...*
Paris, Théodore Girard, 1685, 3 tomes

Lecoq Anne-Marie
*François Ier imaginaire —
Symbolique & politique
à l'aube de la Renaissance française*
Paris, Macula, 1987

Lee Rensselaer W.
"Ariosto's *Roger and Angelica*
in Sixteenth-Century Art :
Some Facts and Hypotheses"
*Studies on late medieval and Renaissance
Painting presented to Millard Meiss,*
Princeton, 1977, p 302 à 319

Lefrançois Thierry
*Nicolas Bertin, 1686-1736
peintre d'histoire*
Neuilly-sur-Seine, Arthéna, 1981

Lejeune Théodore
*Guide théorique et pratique
de l'amateur de tableaux*
Paris, veuve Jules Renouard, 3 tomes, 1864-1865

Lenoir Alexandre
*Observations sur le génie et les principales
productions des artistes de l'Antiquité,
du Moyen Age et des Temps Modernes*
Paris, l'éditeur, 1824

Lépicié Bernard
"Vie de M. Mignard,
lue à l'assemblée du 3 août 1743"
Mémoires Inédits,
1854, t II, p 86 à 97

Lesaulnier Jean
"Les Liancourt, leur hôtel
et leurs hôtes, 1631-1674"
*Images de La Rochefoucauld —
Actes du Tricentenaire, 1680-1980,*
Paris, P U F, 1984

Lex Léonce
*Fr.-M. Puthod, 1757-1820,
membre de la Commission des monuments,
et l'Inventaire des collections
et objets d'art du château de Chantilly en 1793*
Paris, Plon, 1915

Locquin Jean
La Peinture d'Histoire en France de 1747 à 1785
Paris, Henri Laurens, 1912
réédition Paris, Arthéna, 1978

Lopato M.
"Persée et Andromède :
une plaquette de Hans Jamnitzer",
en russe
Soobscenija Gosudarstvennogo Ermitaza,
1973, vol XXXVI, p 5 à 8

Mac Allister Johnson William
"From Favereau's
Tableaux des Vertus et des Vices
to Marolles's *Tableaux du Temple des Muses"*
G B A, 1968, p 171 à 190

Macon Gustave
"Les arts dans la maison de Condé.
Première partie.
Le Grand Condé et son fils"
Revue de l'Art Ancien et Moderne,
t VIII, n° 36, mars 1900, p 217 à 232

Marcel Pierre et **Terrasse** Charles
*Le Musée du Louvre.
École française, XVIIe siècle*
Paris, Éditions de l'*Illustration,* sans date [1929]

Marolles Michel de
Le livre des peintres & graveurs
Sans lieu, sans date [1675 ?] réédition
par Georges Duplessis, Paris, Paul Daffis, 1872

Martin Henri-Jean
*Livre, pouvoirs et société à Paris
au XVIIe siècle,* 1598-1701
Genève, Droz, 1969

Martin John Rupert
The Farnese Gallery
Princeton, 1965, Princeton University Press

*Mémoires Inédits sur la vie et les ouvrages
des membres de l'Académie royale de peinture
et de sculpture, publiés d'après les manuscrits
conservés à l'École impériale des Beaux-Arts,
par Mm. L. Dussieux, E. Soulié,
Ph. de Chennevières, Paul Mantz, A. de Montaiglon*
Paris, J.-B. Dumoulin, 1854, 2 volumes

Ménestrier le père Claude-François
Des Représentations en musique anciennes et modernes
Paris, René Guignard, 1681

Meyer Jean
Colbert
Paris, Hachette, 1981

Montagu Jennifer
"Au temps du Roi-Soleil.
Les peintres de Louis XIV"
compte rendu de l'exposition de Lille, 1968
Revue de l'Art, n° 3, 1969, p 97 et 98

Montaiglon Anatole de
"Billet de Mignard et de Dufresnoy à Le Brun"
A A F, Documents,
t I, 1851-1852, p 267 et 268

Montaiglon Anatole de
*Descriptions de l'Académie royale de peinture
et de sculpture par son secrétaire
Nicolas Guérin et par Antoine-Nicolas
Dezallier d'Argenville le fils, 1715-1781*
Paris, Société de propagation
des Livres d'art, 1893

Morelet Laurent
Saint-Clou et les devises du salon.
A Son Altesse Royale
Monsieur fils de France frère unique de Sa Majesté.
Par M. L'Abbé de Morelet
Paris, Pierre Le Petit, 1681

Muller Jeffrey M.
"The *Perseus and Andromeda* on Rubens's house"
Simiolus,
vol XII, 1981-1982, n° 2-3, p 131 à 146

Nolhac Pierre de
"L'exposition de tapisseries des Gobelins
au château de Versailles"
Les Arts,
n° 109,
janvier 1911, p 26 à 32

Notice des dessins sous verre, tableaux,
esquisses, recueils de dessins et d'estampes,
réunis à la bibliothèque de la Faculté
de médecine de Montpellier
Montpellier, imprimerie Jean Martel aîné, 1830

Papillon abbé Philibert
Bibliothèque des auteurs de Bourgogne
Dijon, François Desventes, 1745, 2 tomes

Papillon de La Ferté
Extraits des différens ouvrages publiés
sur la vie des peintres
Paris, Ruault, t 2, 1776

Pepper D. Stephen
Guido Reni.
A complete catalogue of his works
with an introductory text
Oxford, Phaidon, 1984

Perez Guillen Vicente
"Del barocco calderoniano a la sacralizacion rococo.
Perseo y Andromeda"
Goya, n° 187-188,
juillet-octobre 1985, p 90 à 96

Pérez Marie-Félicie
"Le mécénat de la famille Lumague,
branche française, au XVIIe siècle"
Actes du colloque
La France et l'Italie au temps de Mazarin,
1986, p 153 à 165

Petit-Jean Ch. et **Wickert** Ch.
Catalogue de l'œuvre gravé de Robert Nanteuil
Notice biographique par François Courboin...
Paris, Loys Delteil et Maurice le Garrec,
1925, 2 tomes

Picard Raymond
"Le Brun-Corneille et Mignard-Racine"
Revue des Sciences humaines,
avril-juin 1962, repris dans
De Racine au Parthénon,
Paris, Gallimard, 1977, p 248 à 257

Pichon baron Jérôme
Catalogue de la bibliothèque de feu
M. le baron Jérôme Pichon
Paris, Techener, 1897, 2 tomes

Préaud Maxime
"Jacques van Merle :
A Flemish Dealer in Paris"
Print Quarterly,
vol I, n° 2, juin 1984, p 80 à 95

Préaud Maxime
"Les dédicataires d'estampes, amateurs d'art
et collectionneurs"
Actes du colloque
L'âge d'or du mécénat, 1598-1661,
1985, p 375 à 381

Préaud Maxime
Bibliothèque Nationale.
Département des Estampes.
Inventaire du fonds français.
Graveurs du XVIIe siècle.
Claude Mellan
Paris, Bibliothèque nationale, 1989

Préaud Maxime, **Casselle** Pierre
Grivel Marianne, **Le Bitouzé** Corinne
Dictionnaire des éditeurs d'estampes
à Paris sous l'Ancien régime
Paris, Promodis, 1987

Preston Worsley Michaël
"*Persée et Andromède* de Chinard.
Une fausse attribution ?"
Revue du Louvre,
n° 4, 1989, p 249 à 252

Procès-verbaux de l'Académie Royale de Peinture
et de Sculpture, 1648-1792.
Publiés pour la Société de l'Histoire
de l'Art français d'après
les registres originaux conservés
à l'École des Beaux-Arts
par M. Anatole de Montaiglon
Paris, Baur puis Charavay,
1875-1892, 10 volumes

Ramade Patrick
"Véronèse : *Persée délivrant Andromède*"
Dossier de l'œuvre du mois,
Rennes, Musée des beaux-arts, n° 9, 1980

Rambaud Mireille
Documents du Minutier central
concernant l'histoire de l'art, 1700-1750
Paris, S E V P E N, 1964

Regnet Carl Albert
"Pierre Mignard"
Kunst und Künstler des Mittelalters
und der Neuzeit,
éditeur Robert Dohme,
Leipzig, Seeman, 1880, t III

Réveil et **Duchesne**
Musée de peinture et de sculpture,
ou Recueil des principaux tableaux, statues et
bas-reliefs des collections publiques
et particulières de l'Europe...
Paris, 1872,
2e édition annotée par L. et R. Ménard,
10 volumes

Richer L.
L'ovide bouffon ou
les Métamorphoses burlesques
Paris, Toussainct Quinet, 1649

Roche Daniel
"La censure"
dans *Histoire de l'édition française,* II,
Le livre triomphant, 1660-1830
p 76 à 83, Paris, Promodis, 1984,
éditeurs Henri-Jean Martin et Roger Chartier

Rosasco Betsy
"Masquerade and Enigma
at the Court of Louis XIV"
Art Journal,
été 1989, p 144 à 149

Rosenberg Pierre
"Six tableaux de Plamondon
d'après Stella, Cigoli, Mignard et Jouvenet"
M, vol II, n° 4, mars 1971, p 10 à 11

Rosenberg Pierre
"Le concours de peinture de 1727"
Revue de l'Art,
n° 37, 1977, p 29 à 42

Rouillé France
Le graveur Pierre Van Schuppen, 1629-1702
Mémoire de maîtrise dactylographié,
Université de Paris-IV,
directeur Jacques Thuillier, 1979

Saint-Amant Antoine Girard de
"L'Andromede, à Monseigneur frere unique du roy"
dans *Les Œuvres du sieur de Saint Amant,*
Paris, F. Pomeray et T. Quinet, 1629

Sainte Fare Garnot Nicolas
"La galerie des Ambassadeurs
au palais des Tuileries, 1666-1671"
B S H A F, 1978 [1980], p 119 à 126

Saunier Charles
"Une collection de dessins de maîtres provinciaux.
Le musée Xavier-Atger à Montpellier"
G B A, janvier 1922, p 35 à 50 et mars 1922, p 161 à 180

Schnapper Antoine
"A propos d'un tableau
de N. de Poilly peintre maudit"
Revue du Louvre, n° 4-5,
1972, p 325 à 328

Schnapper Antoine
Jean Jouvenet, 1644-1717
et la peinture d'histoire à Paris
Paris, Léonce Laget, 1974

Schnapper Antoine
"Louis XIV collectionneur"
Clefs, n° 1,
janvier 1978, p 68 à 77

Schnapper Antoine
"Le Portrait à l'Académie au temps de Louis XIV"
XVIIe siècle, n° 138, janvier-mars 1983,
Histoire et théorie de l'art en France au XVIIe siècle,
p 97 à 123

Seelig Lorenz
"L'inventaire après décès
de Martin Van den Bogaert dit Desjardins
sculpteur ordinaire du roi, 7 août 1694"
B S H A F, 1972 [1973], p 161 à 182

Simons-Kockel Katrin
Ausgewählte Werke der staatlichen
Kunsthalle-Karlsruhe.
Band I. 150 Gemälde
vom Mittelalter bis zur Gegenwart
Karlsruhe, 1988, notice sur Le Brun

Siren Oswald
Nicodemus Tessin d. y :
s studieresor i Danmark, Tyskland,
Holland, Frankrike och Italien
Stockholm, Norstedt et Söners, 1914

Solleyssel Jacques de
Le parfait Mareschal, qui enseigne
à connoistre la beauté,
la bonté et les deffauts des chevaux...
Paris, Gervais Clouzier, 1680, 2 tomes, 5e édition

Sorel Alexandre
Le château de Chantilly
pendant la Révolution...
Paris, Hachette, 1872

Souchal François
French Sulptors of the 17th and 18th centuries.
The reign of Louis XIV.
Illustrated catalogue
Oxford, Cassirer, 1977-1987, 3 volumes

Taillemite Étienne
"Colbert et la marine"
Actes du Colloque
Un nouveau Colbert,
1985, p 217 à 227

Ternois Daniel
"L'Éros ingresque"
Revue de l'Art,
n° 64, 1984, p 35 à 56

Ternois Daniel et **Casemasca** Ettora
Tout l'œuvre peint d'Ingres
Paris, Flammarion, 1971

Thuillier Jacques avec **Châtelet** Albert
La peinture française.
De Le Nain à Fragonard
Genève, Albert Skira, 1964

Thuillier Jacques
"Temps et tableau : la théorie des péripéties
dans la peinture française du XVIIe siècle"
Stil und Uberlieferung
in der Kunst des Abendlandes,
Berlin, Gebr. Mann, 1967

Thuillier Jacques
"Doctrines et querelles artistiques
en France au XVIIe siècle :
quelques textes oubliés ou inédits"
A A F, nouvelle période, t XXIII,
Documents inédits sur l'art français du XVIIe siècle,
1968, p 125 à 217

Thuillier Jacques et **Mignot** Claude
"Collectionneur et Peintre au XVIIe siècle :
Pointel et Poussin"
Revue de l'Art, n° 39,
1978, p 39 à 58

Thuillier Jacques
"Réflexions sur la politique artistique
de Colbert"
Actes du colloque
Un nouveau Colbert,
1985, p 275 à 286

Titon du Tillet Évrard
Le Parnasse françois, dédié au Roi...
Paris, J.-B. Coignard fils, 1732

Truchet Jacques
"La Fronde trente-cinq ans après :
les *Oraisons funèbres* d'Anne de Gonzague,
de Le Tellier et de Condé par Bossuet"
Actes du colloque
La Fronde en questions,
1989, p 393 à 400

Vanuxem Jacques
"La mythologie dans
Le Temple des Muses de l'abbé de Marolles"
Cahiers de l'Association internationale
des Études françaises,
mai 1973, n° 25, p 295 à 310

Vanuxem Jacques
"Les Jésuites et la peinture
au XVIIe siècle à Paris"
La Revue des Arts,
1958, p 84 à 91

Vincent Monique
Donneau de Visé et le Mercure Galant
Paris, Aux amateurs de livres, 1987, 2 volumes

Vivanti Corrado
"Henry IV, the Gallic Hercules"
Journal of the Warburg
and Courtauld Institutes,
t XXX, 1967, p 176 à 197

Waagen G F
Kunstwerke und Künstler
in England und Paris
Berlin, Nicolas, 1838-1839, 2 tomes

Weber Ingrid
Deutsche, niederländische
und französische Renaissance plaketten
Munich, Bruckmann, 1975, 2 volumes

Weigert Roger-Armand
Bibliothèque Nationale.
Département des Estampes.
Inventaire du fonds français.
Graveurs du XVIIe siècle
Paris, Bibliothèque nationale,
t I, 1939 ; t II, 1951

Weigert Roger-Armand
La tapisserie et le tapis en France
Paris, P U F, 1964

Beauvais, Angers et **Valence** 1974-1975
Musées des beaux-arts
Jean Barbault, 1718-1762

Brisbane 1988
Queensland Art Gallery
Masterpieces from the Louvre
French bronzes and paintings
from the Renaissance to Rodin

Grenoble, Rennes et **Bordeaux** 1989
Musées des beaux-arts
Laurent de La Hyre, 1606-1656
L'Homme et l'œuvre

Lille 1968
Palais des beaux-arts
Au temps du Roi-Soleil
Les Peintres de Louis XIV, 1660-1715

Montréal 1981
Musée des beaux-arts
Largillierre, portraitiste du XVIIIe siècle

Montréal 1983
Musée des beaux-arts
Antoine Plamondon, 1804-1895
Le Chemin de croix de l'église
Notre-Dame de Montréal

Paris 1878
Palais du Trocadéro
Exposition universelle internationale,
portraits nationaux

Paris 1883
Palais des Champs-Élysées
Tapisseries exposées
au palais des Champs-Élysées
le 15 septembre 1883

Paris 1947
Musée des Arts décoratifs
Exposition du Siège français
du Moyen Age à nos jours

Paris 1960
Musée des Arts décoratifs
Louis XIV, fastes et décors

Paris 1961
Musée du Louvre
Dessins des Carrache
18e exposition du Cabinet des dessins

Paris 1967-1968
Petit Palais
Ingres

Paris 1970
Hôtel de la Monnaie
La Médaille au temps de Louis XIV

Paris 1972-1973
Grand Palais
L'École de Fontainebleau

Paris 1974-1975
Grand Palais
De David à Delacroix
La Peinture française de 1774 à 1830

Paris 1977-1978
Orangerie des Tuileries
Collections de Louis XIV,
dessins, albums, manuscrits

Paris 1978
Palais de Tōkyō — Musée d'art et d'essai
L'Autoportrait

Paris 1979
Grand Palais
L'Art en France
sous le Second Empire

Paris 1983
Hôtel de la Monnaie
Colbert, 1619-1683

Paris 1983
Musée du Louvre
Nouvelles acquisitions
du Département des peintures, 1980-1982

Paris 1983-1984
Grand Palais
Raphaël et l'art français

Paris 1985-1986
Grand Palais
Anciens et nouveaux Choix d'œuvres
acquises par l'État ou avec sa participation

Paris 1988
Bibliothèque nationale
L'Œil d'or
Claude Mellan, 1598-1688

Paris 1988-1989
Grand Palais
Seicento, le siècle de Caravage
dans les Collections françaises

Paris 1989
Musée du Louvre
L'Inspiration du poète de Poussin
essai sur l'allégorie du Parnasse
Les dossiers du Département des peintures n° 36

Rennes 1987
Musée des beaux-arts
Première idée

Rome 1986
Farnésine, Istituto Nazionale per la grafica
Annibale Carracci e i suoi incisori

Tōkyō 1988
Tokyo Metropolitan Art Museum
Bronzes de la Renaissance à Rodin :
chefs-d'œuvre du musée du Louvre

Troyes 1955
Musée des beaux-arts
Mignard et Girardon

Troyes
Musée des beaux-arts

Nîmes
Musée des beaux-arts

Rome
Académie de France 1977
Charles-Joseph Natoire
Nîmes, 1700 - Castel Gandolfo, 1777

Versailles 1910
Château
2e exposition de tapisseries des Gobelins

Versailles 1963
Château
Charle Le Brun, 1619-1690,
peintre et dessinateur

Washington 1988-1989
National Gallery of Art
The Art of Paolo Veronese, 1528-1588

crédits photographiques
Réunion des musées nationaux
et institutions citées,

mise en pages
Christophe Ibach

photocomposition,
en granjon
et en univers,
et photogravure
imprimerie Jacques London, Paris

achevé d'imprimer
en janvier 1990
sur les presses de
l'imprimerie Jacques London
à Paris

dépôt légal
janvier 1990
ISBN 2-7118-2306-7
EC 20 2306